4단계 완성 스케줄표

공부한 날		주	일	학습 내용
월 일		**1**주	도입	이번 주에는 무엇을 공부할까요?
			1일	1번 뒤집기
월 일			2일	2번 뒤집기
월 일			3일	거울에 비친 모양
월 일			4일	시계 방향으로 돌리기
월 일			5일	시계 반대 방향으로 돌리기
			평가 / 특강	누구나 100점 맞는 테스트 / 창의·융합·코딩
월 일		**2**주	도입	이번 주에는 무엇을 공부할까요?
			1일	뒤집고 돌리기
월 일			2일	돌리고 뒤집기
월 일			3일	수 뒤집기와 돌리기
월 일			4일	연속하여 여러 번 움직이기
월 일			5일	움직이기 전 도형
			평가 / 특강	누구나 100점 맞는 테스트 / 창의·융합·코딩
월 일		**3**주	도입	이번 주에는 무엇을 공부할까요?
			1일	예각, 직각, 둔각
월 일			2일	삼각형의 세 각의 크기
월 일			3일	예각삼각형, 둔각삼각형
월 일			4일	이등변삼각형, 정삼각형
월 일			5일	삼각형 그리기
			평가 / 특강	누구나 100점 맞는 테스트 / 창의·융합·코딩
월 일		**4**주	도입	이번 주에는 무엇을 공부할까요?
			1일	평행선에서 각도 구하기
월 일			2일	크고 작은 사각형의 개수
월 일			3일	접은 모양에서 각도 구하기
월 일			4일	정다각형을 이어 붙인 모양
월 일			5일	정다각형에서 각도 구하기
			평가 / 특강	누구나 100점 맞는 테스트 / 창의·융합·코딩

공부한 날을 표시하고 하루하루 학습 내용을 살펴보세요.

Chunjae
Maketh
Chunjae

▼

기획총괄	저유경
편집개발	정소현, 조선영, 원희정, 이정선, 최윤석, 김선주, 박선민
디자인총괄	김희정
표지디자인	윤순미, 안채리
내지디자인	박희춘, 이혜진
제작	황성진, 조규영

발행일	2020년 11월 15일 초판 2020년 11월 15일 1쇄
발행인	(주)천재교육
주소	서울시 금천구 가산로9길 54
신고번호	제2001-000018호
고객센터	1577-0902

똑 똑 한

하루
도형

4단계

Contents

이 책의 **특징**

도입

이번 주에는 무엇을 공부할까요?

▶ **이번 주에 공부할 내용**을 만화로 재미있게!

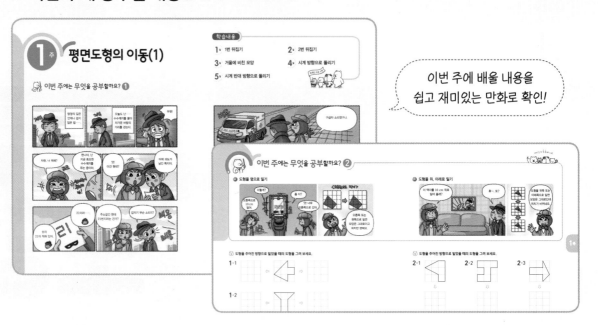

이번 주에 배울 내용을
쉽고 재미있는 만화로 확인!

개념 완성

주 5일 학습

▶ **활동**을 통해 **도형 개념**을 쉽게 이해해요!

도형 개념을
만화로 쏙쏙!

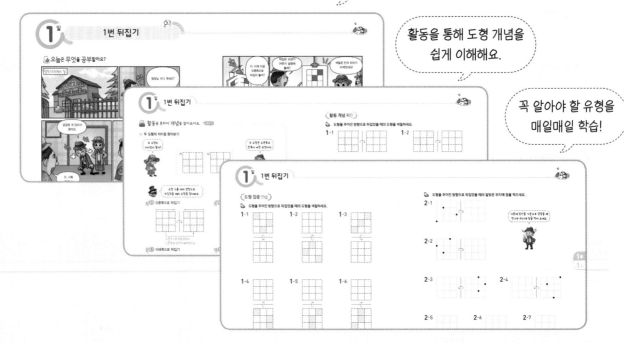

활동을 통해 도형 개념을
쉽게 이해해요.

꼭 알아야 할 유형을
매일매일 학습!

평가 주별 평가

▶ 한 주간 배운 내용을 확인해요.

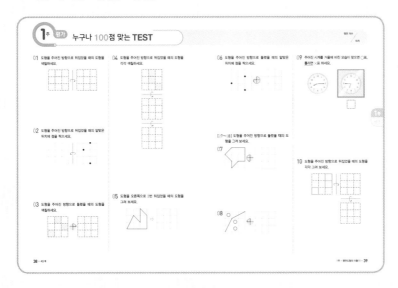

> 5일 동안 공부한 내용을 확인해요.

특강 창의 · 융합 · 코딩

▶ 창의 · 융합 · 코딩 문제로 창의력과 사고력이 길러져요!

> 특강 문제까지 해결하면 창의력과 사고력이 쑥쑥!

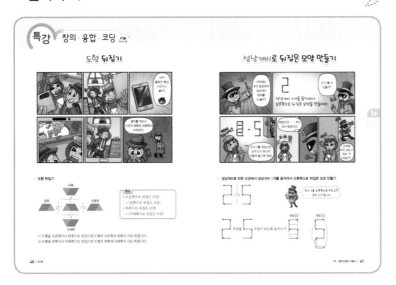

이 책에 나오는 인물

 차현

난 일류 탐정이 될 거야!
차분하지만 당돌한 꼬마

 한나

열혈 그 자체의 성격
수수께끼를 풀기 위해서는 앞뒤를 가리지 않는다.

 탐정 다해결

한때는 전설적인 탐정!
지금은 꼬마탐정을 가르치고 있다.

 괴도

수수께끼를 남기고 사라지는 괴도
안 잡힐 자신 있다고!

평면도형의 이동(1)

 이번 주에는 무엇을 공부할까요? ❶

똑똑한 하루 도형

삐뽀

구급차 소리였구나.

핫!

흠······. 그렇다면······.

왜?

오른쪽으로 뒤집으면 숫자 15가 되는구나. 바로 이거야!

이번 주에는 무엇을 공부할까요? ②

✳ 도형을 옆으로 밀기

🐻 도형을 주어진 방향으로 밀었을 때의 도형을 그려 보세요.

1-1
 ⇦ 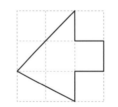 ⇨

1-2
 ⇦ 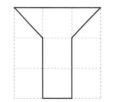 ⇨

1-3
 ⇦ 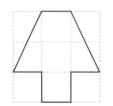 ⇨

1-4
 ⇦  ⇨

✳ 도형을 위, 아래로 밀기

🐻 도형을 주어진 방향으로 밀었을 때의 도형을 그려 보세요.

2-1

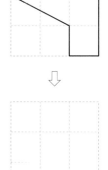

2-2

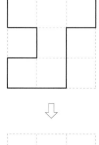

2-3

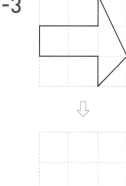

2-4

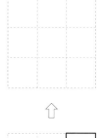
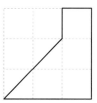

2-5

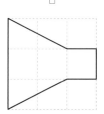

2-6

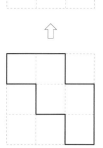

1번 뒤집기

🐻 **오늘은 무엇을 공부할까요?**

도형 기본 개념

● **1번 뒤집기**

① 어떤 도형을 오른쪽이나 왼쪽으로 뒤집으면 왼쪽과 ❶[   ]쪽이 서로 바뀝니다.

② 어떤 도형을 위쪽이나 아래쪽으로 뒤집으면 위쪽과 ❷[   ]쪽이 서로 바뀝니다.

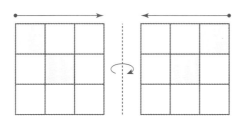

뒤집었더니 화살표의 방향이 바뀌었어요.

그림 위의 화살표 방향을 살펴보고 뒤집은 모양에서 색칠한 칸을 확인해 봐요.

정답 ❶ 오른 ❷ 아래

🐻 **활동**을 통하여 **개념**을 알아보아요. 📝활동지

◉ **두 도형의 차이점 찾아보기**

두 도형의
차이점이 뭘까?

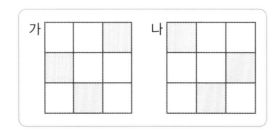

두 도형은 오른쪽과
왼쪽이 바뀐 모양이야.

도형 가를 여러 방향으로
뒤집었을 때의 도형을 알아봐요.

👆① **오른쪽으로 뒤집기** 화살표 방향이
반대가 되었어요.

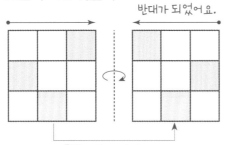

오른쪽으로 뒤집었더니
오른쪽과 왼쪽이 바뀌었어요.

✌② **왼쪽으로 뒤집기**

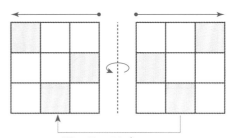

왼쪽으로 뒤집었더니
왼쪽과 오른쪽이 바뀌었어요.

🖐③ **아래쪽으로 뒤집기**

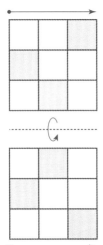

🖐④ **위쪽으로 뒤집기**

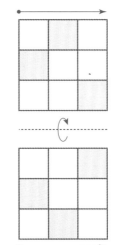

도형 가를 아래쪽으로
뒤집은 도형과
위쪽으로 뒤집은 도형이
같네요.

➡ 도형 가를 왼쪽 또는 오른쪽으로 뒤집었을 때 도형 나가 됩니다.

활동 개념 확인

도형을 주어진 방향으로 뒤집었을 때의 도형을 색칠하세요.

1-1
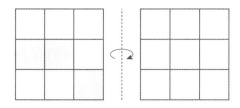

1-2
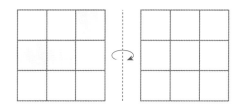

1-3
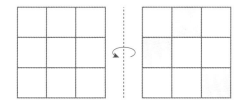

1-4
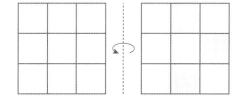

1-5
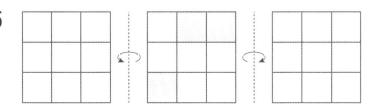

어떤 도형을 왼쪽으로 뒤집은 도형과 오른쪽으로 뒤집은 도형은 같아요.

1-6
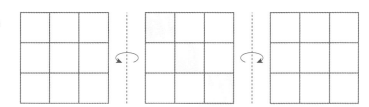

1번 뒤집기

도형 집중 연습

도형을 주어진 방향으로 뒤집었을 때의 도형을 색칠하세요.

1-1

1-2

1-3

1-4

1-5

1-6

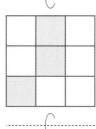

어떤 도형을 위쪽으로 뒤집은 도형과 아래쪽으로 뒤집은 도형은 같아요.

도형을 주어진 방향으로 뒤집었을 때의 알맞은 위치에 점을 찍으세요.

2-1

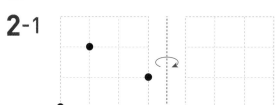

가운데 점선을 기준으로 접었을 때
만나는 위치에 점을 찍어 보세요.

2-2

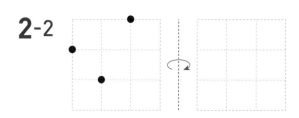

2-3

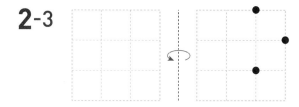

2-4

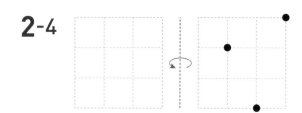

2-5

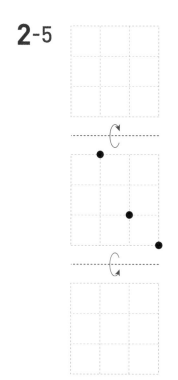

2-6

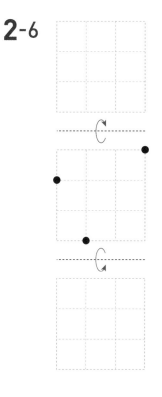

2-7

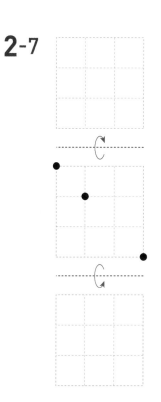

2번 뒤집기

오늘은 무엇을 공부할까요?

도형 기본 개념

● **같은 방향으로 2번 뒤집기**

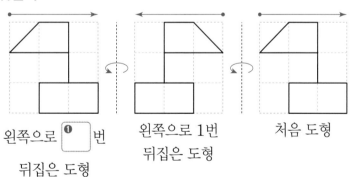

왼쪽으로 ❶ 번
뒤집은 도형

왼쪽으로 1번
뒤집은 도형

처음 도형

왼쪽으로 2번 뒤집었더니
처음 도형과 같아졌어요.

정답 ❶ 2

2번 뒤집기

 활동을 통하여 **개념**을 알아보아요. 활동지

◉ 2번 뒤집은 도형 알아보기

도형 가, 나, 다는 주어진 도형을 어떻게 뒤집은 건지 알아봐요.

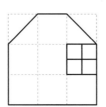

가 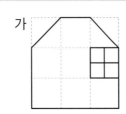 나 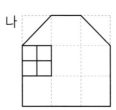 다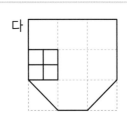

오른쪽으로 1번 뒤집었더니 나 도형이 되었어요.

오른쪽으로 2번 뒤집었더니 가 도형이 되었어요.

주어진 도형을 왼쪽으로 2번 뒤집어도 가 도형이 돼요.

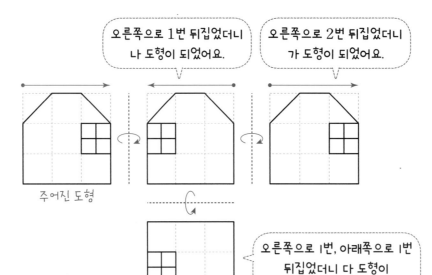

주어진 도형

오른쪽으로 1번, 아래쪽으로 1번 뒤집었더니 다 도형이 되었어요.

주어진 도형을 위쪽으로 2번 뒤집거나 아래쪽으로 2번 뒤집어도 가 도형이 돼요.

🐢 도형을 주어진 방향으로 2번 뒤집었을 때의 도형을 찾아 ◯표 하세요.

1-1

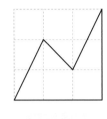

오른쪽

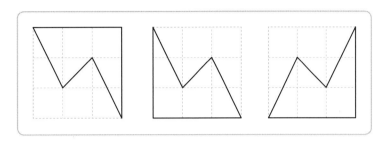

1-2

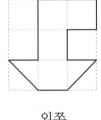

왼쪽

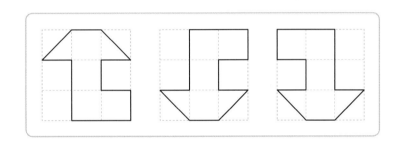

1-3

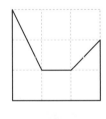

위쪽

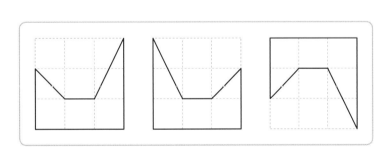

1-4

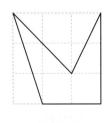

아래쪽

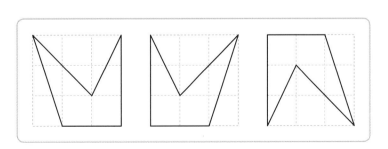

도형 집중 연습

🦔 도형을 주어진 방향으로 뒤집었을 때의 도형을 각각 색칠하세요.

1-1

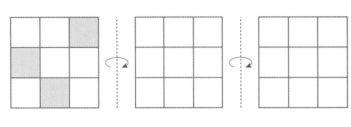

도형을 오른쪽으로 2번 뒤집으면 처음 도형과 모양이 같아요.

1-2

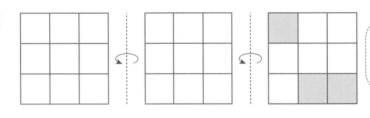

도형을 왼쪽으로 2번 뒤집어도 처음 도형과 모양이 같아요.

1-3

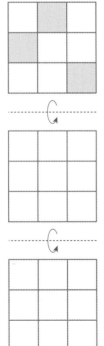

1-4

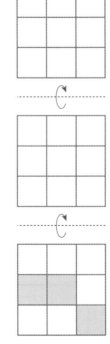

1-5

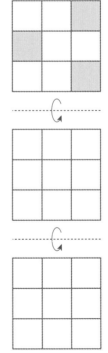

도형을 주어진 방향으로 뒤집었을 때의 도형을 각각 그려 보세요.

2-1

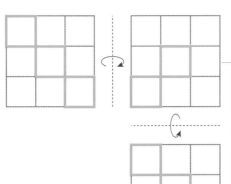

나머지 부분을
완성해 보세요.

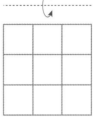

2-2

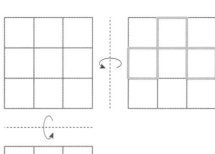

2-3

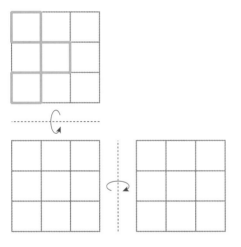

2-4

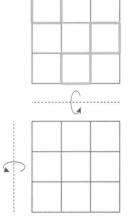

2-5

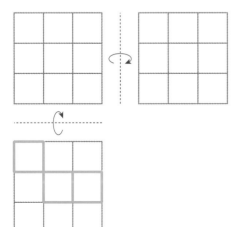

2-6

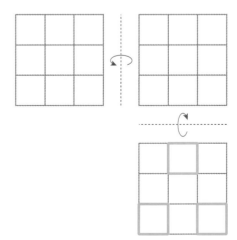

거울에 비친 모양

 오늘은 무엇을 공부할까요?

도형 기본 개념

● **거울에 비친 모양**

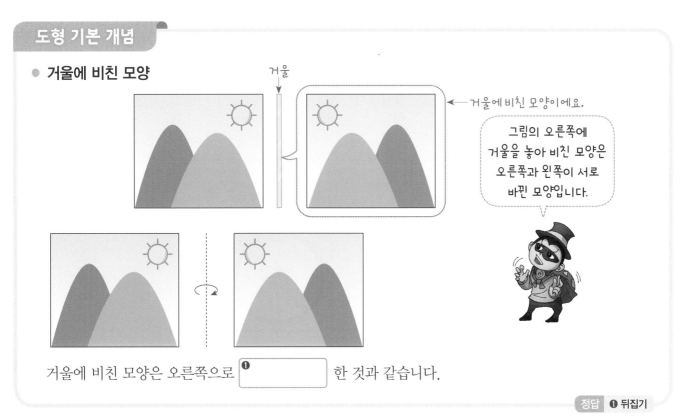

거울에 비친 모양은 오른쪽으로 **❶** [   ] 한 것과 같습니다.

3^일 거울에 비친 모양

 활동을 통하여 개념을 알아보아요.

● 거울에 비친 시계가 나타내는 시각 알아보기

시계에서 두 바늘이 가리키는 숫자를 살펴 볼까요?

☝ 거울에 비친 시계에서 알 수 있는 것 찾기

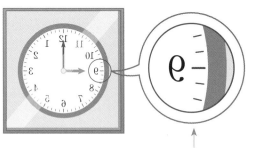

숫자의 왼쪽과 오른쪽이 바뀌었어요.

왼쪽과 오른쪽이 바뀌었으므로 왼쪽 또는 오른쪽으로 뒤집기 한 것과 같음을 알 수 있어요.

✌ 거울에 비친 시계가 나타내는 시각 구하기

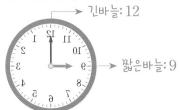

긴바늘: 12

짧은바늘: 9

짧은바늘이 9를 가리키고 긴바늘이 12를 가리키므로 원래 시계가 가리키는 시각은 **9시**입니다.

🖐 시계에 거울을 비추어 확인하기

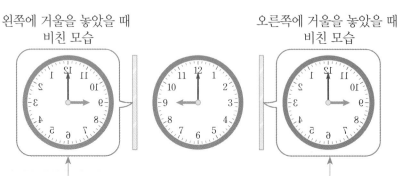

왼쪽에 거울을 놓았을 때 비친 모습

오른쪽에 거울을 놓았을 때 비친 모습

왼쪽으로 뒤집기 한 모양이에요.

오른쪽으로 뒤집기 한 모양이에요.

활동 개념 확인

🐢 거울에 비친 시각이 맞으면 ◯표, <u>틀리면</u> ✕표 하세요.

1-1

1-2

1-3

1-4

🐢 주어진 시계를 거울에 비친 모습이 맞으면 ◯표, <u>틀리면</u> ✕표 하세요.

2-1

2-2

2-3

2-4

도형 집중 연습

보기와 같이 주어진 그림을 거울에 비췄을 때의 모양을 그려 보세요.

보기

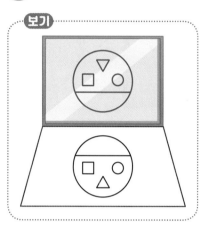

1-1

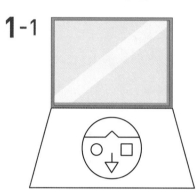

1-2

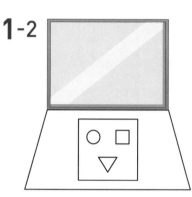

1-3

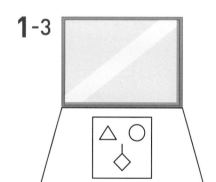

1-4

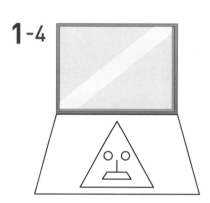

1-5

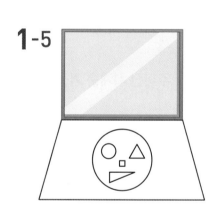

1-6

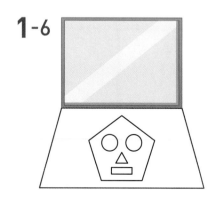

1-7

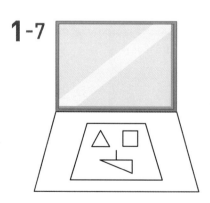

1-8

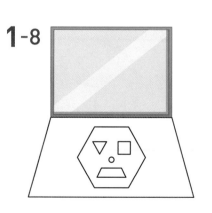

🍯 보기 와 같이 그림을 도장에 새겨 찍었을 때 나오는 모양을 그려 보세요.

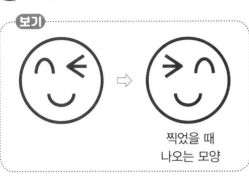

보기

찍었을 때
나오는 모양

2-1

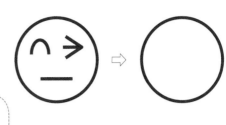

도장을 찍으면
오른쪽과 왼쪽이
바뀐 모양이 찍혀요.

2-2

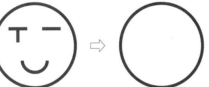

2-3

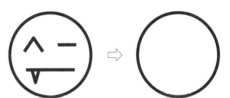

2-4

2-5

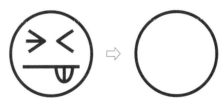

2-6

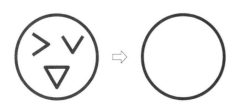

2-7

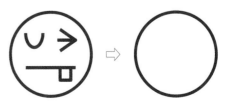

 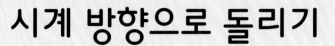

 오늘은 무엇을 공부할까요?

도형 기본 개념

● 시계 방향으로 돌리기

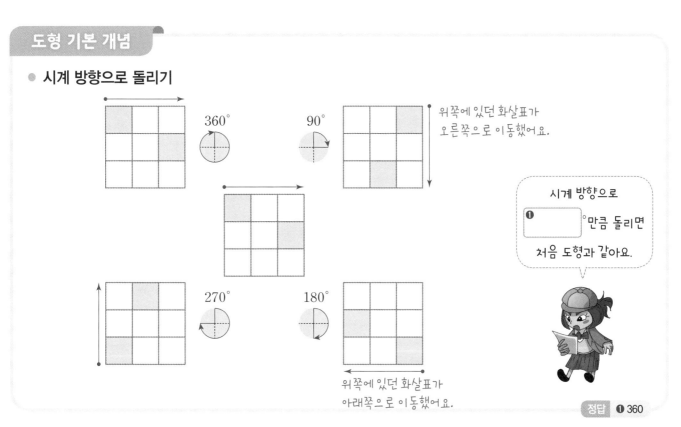

360°   90°

위쪽에 있던 화살표가
오른쪽으로 이동했어요.

시계 방향으로

❶ [   ]°만큼 돌리면

처음 도형과 같아요.

270°   180°

위쪽에 있던 화살표가
아래쪽으로 이동했어요.

정답 ❶ 360

시계 방향으로 돌리기

 활동을 통하여 **개념**을 알아보아요. **활동지**

○ 시계 방향으로 돌린 모양 알아보기

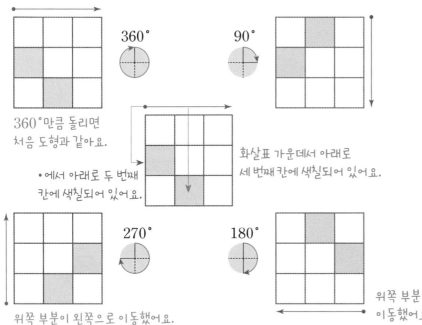

360°만큼 돌리면 처음 도형과 같아요.

•에서 아래로 두 번째 칸에 색칠되어 있어요.

화살표 가운데서 아래로 세 번째 칸에 색칠되어 있어요.

시계 방향으로 돌리기

위쪽 부분이 왼쪽으로 이동했어요.

위쪽 부분이 아래쪽으로 이동했어요.

 도형을 90°만큼 돌리고 또 90°만큼 돌리면 어떻게 될까요?

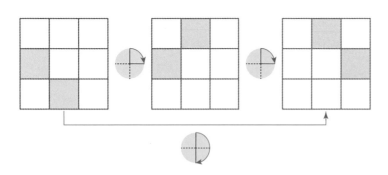

 90°+90°=180°이니까 90°씩 2번 돌리면 180°를 돌린 것과 같아요!

참고

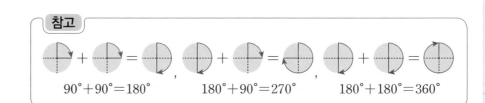

$90°+90°=180°$ $180°+90°=270°$ $180°+180°=360°$

활동 개념 확인

🍡 도형을 주어진 방향으로 돌렸을 때의 도형을 색칠하세요.

1-1
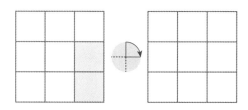

1-2
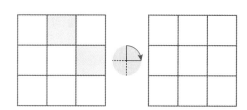

1-3
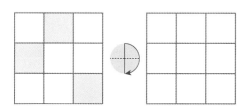

1-4
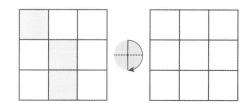

1-5
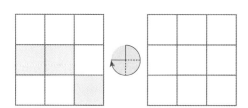

1-6
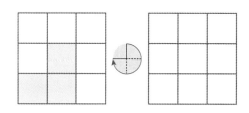

1-7
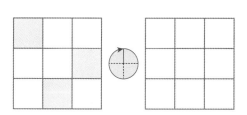

1-8
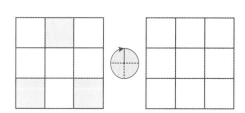

4일 시계 방향으로 돌리기

도형 집중 연습

보기와 같이 도형을 시계 방향으로 돌렸을 때의 알맞은 위치에 점을 찍으세요.

보기

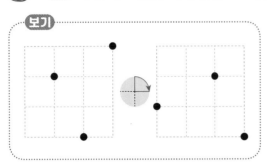

1-1

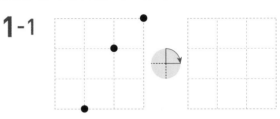

1-2

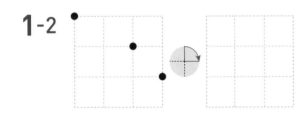

1-3

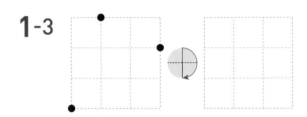

1-4

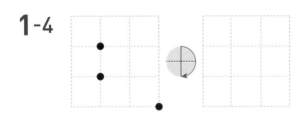

1-5

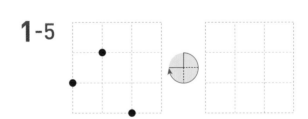

1-6

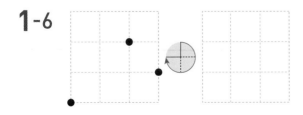

1-7

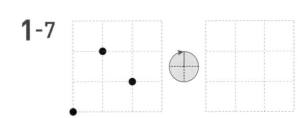

도형이 사다리를 타고 내려오면서 만나는 방향으로 돌아갑니다. 마지막에 도착한 도형을 그려 보세요.

2-1

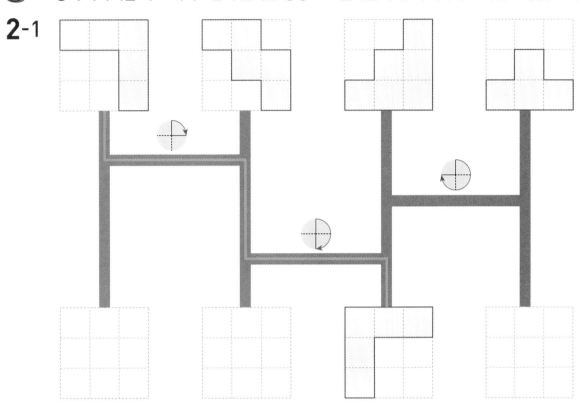

2-2

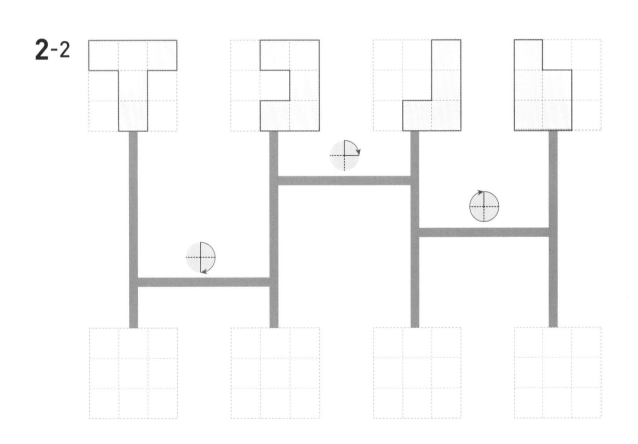

5일 시계 반대 방향으로 돌리기

 오늘은 무엇을 공부할까요?

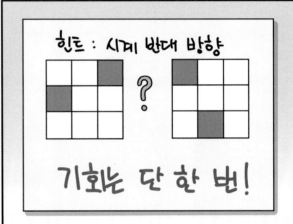

도형 기본 개념

● 시계 반대 방향으로 돌리기

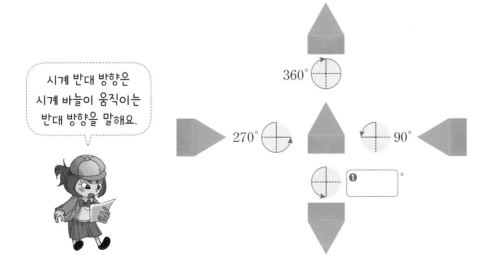

시계 반대 방향은 시계 바늘이 움직이는 반대 방향을 말해요.

도형을 시계 반대 방향으로 360°만큼 돌리면 처음 도형과 같아요.

360°

270°   90°

❶ ⬚ °

정답 ❶ 180

시계 반대 방향으로 돌리기

 활동을 통하여 **해결 방법**을 알아보아요.

◉ 퍼즐 조각 맞추기

퍼즐 조각을 어떻게 돌리면 빈 곳에 딱 맞을까요?

방법 1 퍼즐 조각을 시계 반대 방향으로 돌려서 맞추기

시계 반대 방향으로 90°만큼 돌려서 맞추면 딱 맞아요.

방법 2 퍼즐 조각을 시계 방향으로 돌려서 맞추기

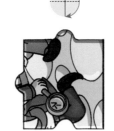

시계 방향으로 270°만큼 돌려서 맞추면 딱 맞아요.

해결 방법 짚어 보기

• 화살표 끝이 가리키는 위치가 같으면 돌렸을 때의 모양이 서로 같습니다.

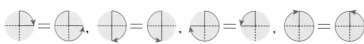

해결 방법 확인

빈곳에 조각을 어떻게 돌려서 넣어야 할지 알맞은 방향에 ◯표 하세요.

1-1

1-2

도형 집중 연습

🐢 도형을 주어진 방향으로 돌렸을 때의 도형을 그려 보세요.

1-1

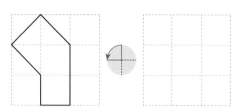

1-2

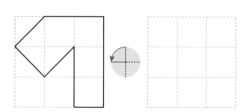

1-3

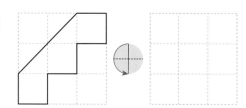

1-4

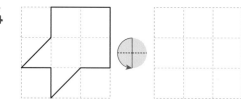

1-5

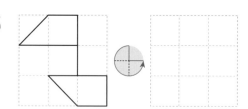

1-6

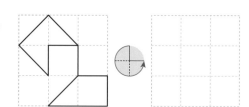

1-7

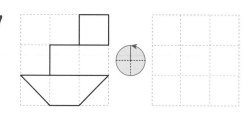

1-8

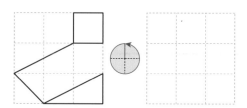

🐢 도형을 주어진 방향으로 돌렸을 때의 도형을 그려 보세요.

2-1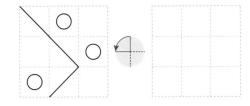

2-2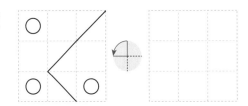

2-3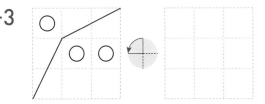

2-4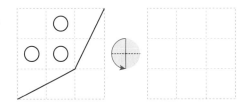

2-5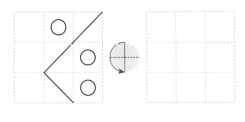

2-6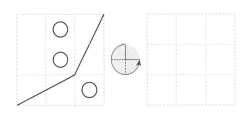

2-7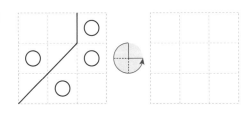

2-8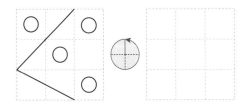

누구나 100점 맞는 TEST

01 도형을 주어진 방향으로 뒤집었을 때의 도형을 색칠하세요.

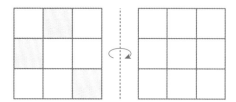

02 도형을 주어진 방향으로 뒤집었을 때의 알맞은 위치에 점을 찍으세요.

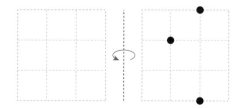

03 도형을 주어진 방향으로 돌렸을 때의 도형을 색칠하세요.

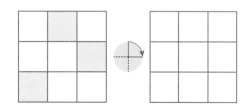

04 도형을 주어진 방향으로 뒤집었을 때의 도형을 각각 색칠하세요.

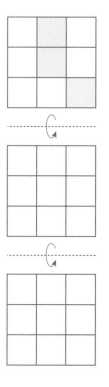

05 도형을 오른쪽으로 2번 뒤집었을 때의 도형을 그려 보세요.

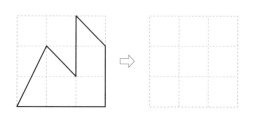

06 도형을 주어진 방향으로 돌렸을 때의 알맞은 위치에 점을 찍으세요.

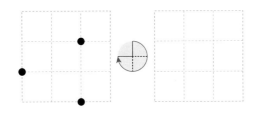 

09 주어진 시계를 거울에 비친 모습이 맞으면 ○표, <u>틀리면</u> ✕표 하세요.

[07~08] 도형을 주어진 방향으로 돌렸을 때의 도형을 그려 보세요.

07

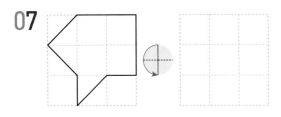

10 도형을 주어진 방향으로 뒤집었을 때의 도형을 각각 그려 보세요.

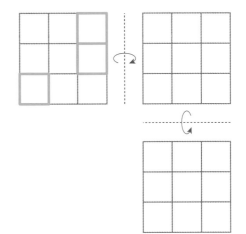

08

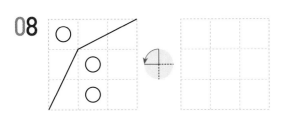

1주
평가

도형 뒤집기

● 도형 뒤집기

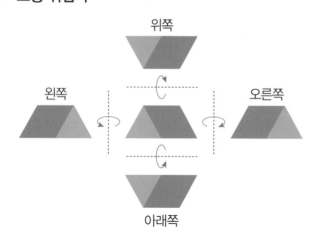

참고
• (오른쪽으로 뒤집은 모양)
  = (왼쪽으로 뒤집은 모양)
• (위쪽으로 뒤집은 모양)
  = (아래쪽으로 뒤집은 모양)

⑴ 도형을 오른쪽이나 왼쪽으로 뒤집으면 도형의 오른쪽과 왼쪽이 서로 바뀝니다.

⑵ 도형을 위쪽이나 아래쪽으로 뒤집으면 도형의 위쪽과 아래쪽이 서로 바뀝니다.

성냥개비로 뒤집은 모양 만들기

● 성냥개비로 만든 모양에서 성냥개비 2개를 움직여서 오른쪽으로 뒤집은 모양 만들기

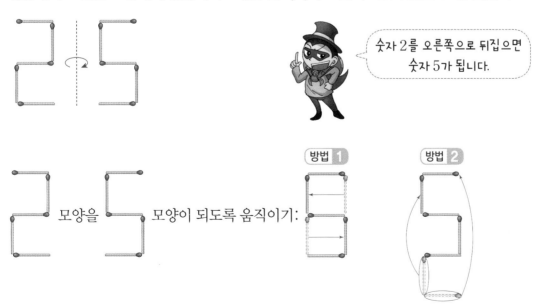

숫자 2를 오른쪽으로 뒤집으면 숫자 5가 됩니다.

1 셀카로 사진을 찍으면 왼쪽과 오른쪽이 바뀐 모습이 나옵니다. 지우가 다음 그림을 들고 셀카를 찍었을 때 화면에 비친 도형을 그려 보세요.

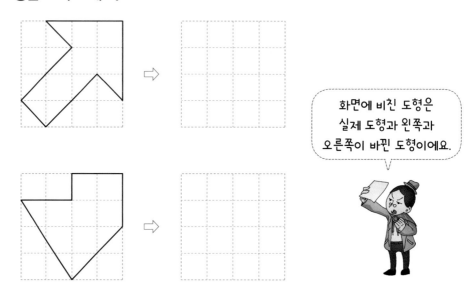

> 화면에 비친 도형은 실제 도형과 왼쪽과 오른쪽이 바뀐 도형이에요.

2 도형을 왼쪽으로 1번 뒤집었을 때의 도형을 각각 그려 보세요.

3 강이나 호수에 비친 모습은 위쪽 또는 아래쪽으로 뒤집은 모습과 같습니다. 주어진 도형을 위쪽과 아래쪽으로 뒤집었을 때의 도형을 각각 그려 보세요.

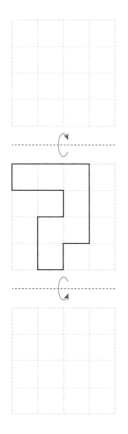

주어진 도형을 위쪽으로 뒤집은 도형과 아래쪽으로 뒤집은 도형이 같다는 걸 알 수 있어요.

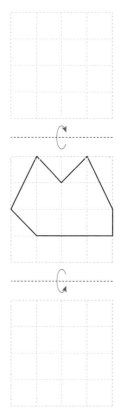

4 종이의 왼쪽에 물감으로 그림을 그리고 점선을 따라 반으로 접었습니다. 종이의 오른쪽에 생기는 그림을 그려 보세요.

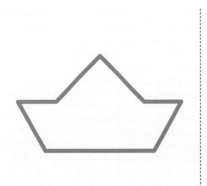

종이의 반쪽에 물감으로 그림을 그리고 반으로 접으면 좌우가 바뀐 그림이 반대편에 생기는 미술 표현 방법을 데칼코마니라고 해요.

5 일요일 오후 한나는 낮잠을 자고 난 후 시계를 보았더니 7시 50분이었습니다. 깜짝 놀라 다시 보니 거울 속에 비친 시계를 보고 잘못 알았던 것입니다. 시계는 몇 시 몇 분을 가리키고 있을까요?

12를 기준으로 숫자를 쓰고 바늘을 그려 봐요.

☐ 시 ☐ 분

6 성냥개비로 만든 집 모양입니다. 성냥개비 1개를 움직여서 왼쪽으로 1번 뒤집은 모양을 만들어 보세요. (단, 성냥개비의 방향은 생각하지 않습니다.)

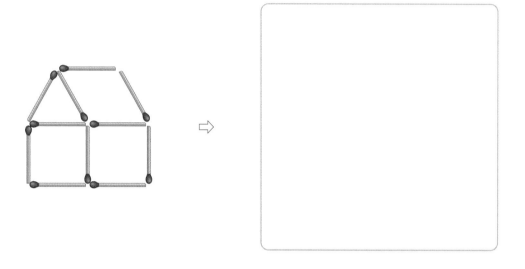

7 성냥개비로 만든 물고기 모양입니다. 성냥개비 3개를 움직여서 오른쪽으로 1번 뒤집은 모양을 만들어 보세요. (단, 성냥개비의 방향은 생각하지 않습니다.)

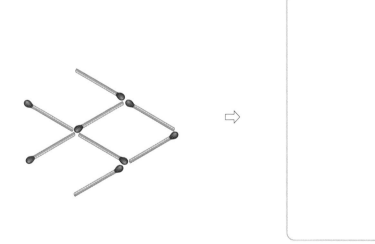

평면도형의 이동(2)

 ## 이번 주에는 무엇을 공부할까요? ①

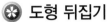

✳ 도형 뒤집기

🐻 도형을 주어진 방향으로 뒤집었을 때의 도형을 각각 그리세요.

1-1

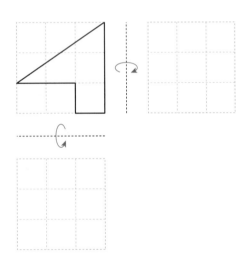

1-2

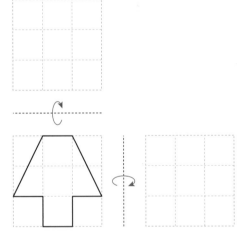

1-3

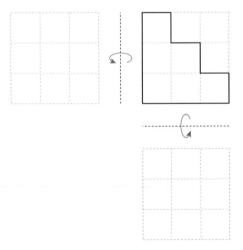

1-4

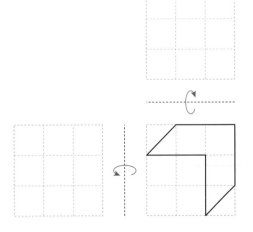

❋ 도형 돌리기

🐻 가운데 도형을 주어진 방향으로 돌렸을 때의 도형을 각각 그리세요.

2-1

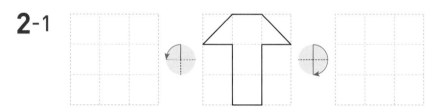

2-2

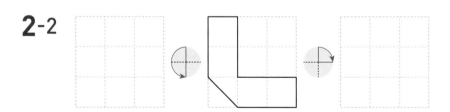

2-3

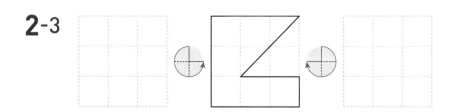

뒤집고 돌리기

도형 기본 개념

● 뒤집고 돌리기

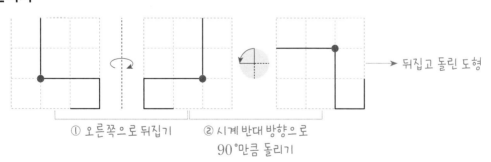

→ 뒤집고 돌린 도형

① 오른쪽으로 뒤집기   ② 시계 반대 방향으로
                      90°만큼 돌리기

① 오른쪽으로 뒤집으면 왼쪽과 [❶ _____] 부분이 서로 바뀝니다.

② 시계 반대 방향으로 90°만큼 돌리면 위쪽 부분이 왼쪽으로 이동합니다.

정답 ❶ 오른쪽

일 뒤집고 돌리기

🐻 **활동을 통하여 개념을 알아보아요.** 🏷️활동지

◎ 뒤집고 돌렸을 때의 점의 위치 표시하기

 오른쪽으로 뒤집고 시계 방향으로 90°만큼 돌리면 빨간색 점이 어떻게 이동할까요?

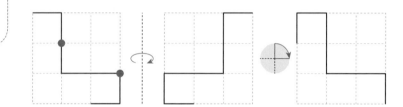

☝️ **오른쪽으로 뒤집었을 때의 점의 위치 표시하기**

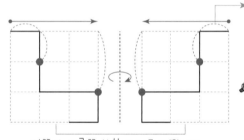

화살표 끝을 기준으로 점의 위치를 찾습니다.

빨간색 화살표를 그리고 뒤집었을 때의 이동한 화살표를 이용하면 점의 위치를 쉽게 찾을 수 있어요.

왼쪽과 오른쪽 부분이 서로 바뀝니다.

✌️ **시계 방향으로 90°만큼 돌렸을 때의 점의 위치 표시하기**

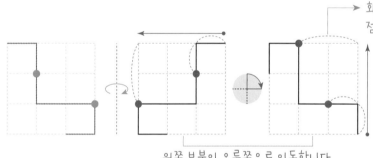

화살표 앞을 기준으로 점의 위치를 찾습니다.

시계 방향으로 90°만큼 돌렸을 때의 이동한 화살표를 이용하여 이동한 점의 위치를 찾아 보세요.

위쪽 부분이 오른쪽으로 이동합니다.

🐻 **개념 짚어 보기**

• 뒤집고 돌리기

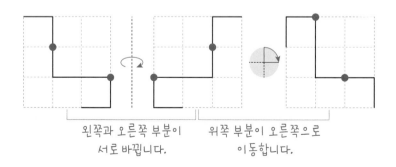

왼쪽과 오른쪽 부분이 서로 바뀝니다.

위쪽 부분이 오른쪽으로 이동합니다.

(**활동 개념** 확인)

도형을 주어진 방향으로 뒤집고 돌렸을 때의 점의 위치를 각각 표시해 보세요.

1-1

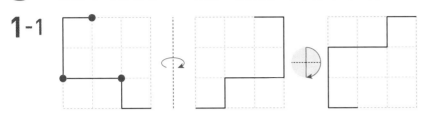

1-2

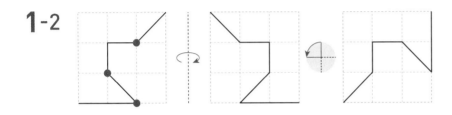

1-3

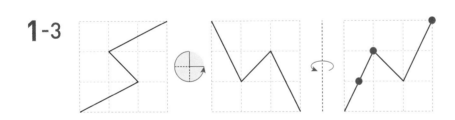

점이 찍힌 도형부터
차례로 뒤집고 돌려요.

1-4

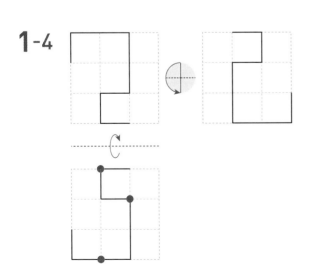

1-5

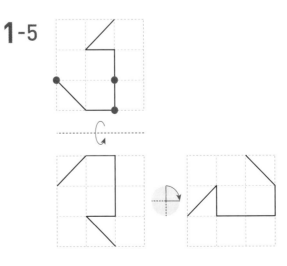

도형 집중 연습

도형을 주어진 방향으로 뒤집고 돌렸을 때의 도형을 각각 그리세요.

1-1

1-2

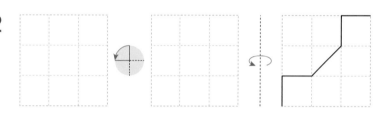

주어진 도형을 왼쪽으로
뒤집고 시계 반대 방향으로
$90°$만큼 돌려요.

1-3

1-4

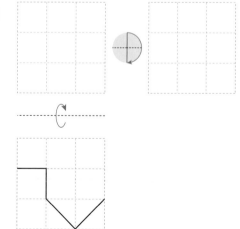

1-5

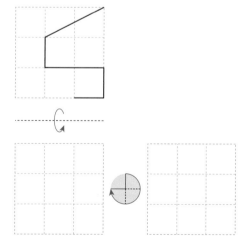

🐸 도형을 주어진 방향으로 뒤집고 돌렸을 때의 도형을 각각 그리세요.

2-1

2-2

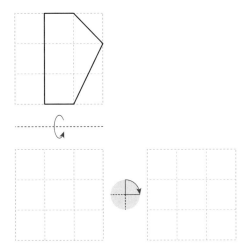

2-3

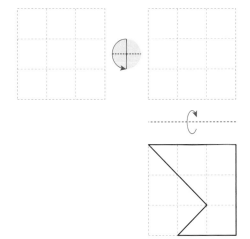

2-4

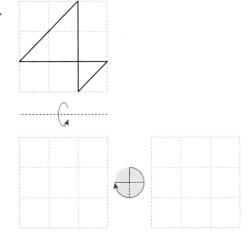

2-5

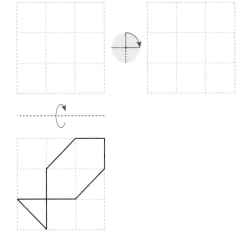

돌리고 뒤집기

 오늘은 무엇을 공부할까요?

도형 기본 개념

● 돌리고 뒤집기

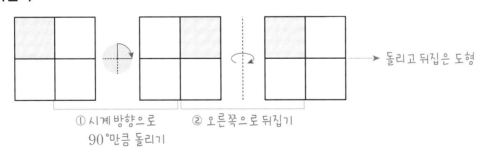

돌리고 뒤집은 도형

① 시계 방향으로
90°만큼 돌리기   ② 오른쪽으로 뒤집기

① 시계 방향으로 90°만큼 돌리면 위쪽 부분이 [❶　　　　　]으로 이동합니다.

② 오른쪽으로 뒤집으면 왼쪽과 오른쪽 부분이 서로 바뀝니다.

2^일 돌리고 뒤집기

 활동을 통하여 **개념**을 알아보아요. 활동지

◉ 돌리고 뒤집었을 때의 알맞은 위치에 색칠하기

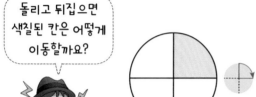

돌리고 뒤집으면 색칠된 칸은 어떻게 이동할까요?

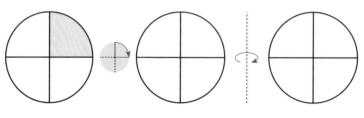

돌리고 뒤집기의 순서를 헷갈리면 안 돼요.

👆 시계 방향으로 90°만큼 돌렸을 때의 알맞은 위치에 색칠하기

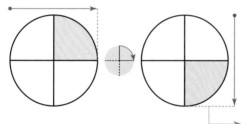

빨간색 화살표를 그리고 시계 방향으로 90°만큼 돌렸을 때의 색칠된 칸을 알아보세요.

→ 화살표 앞을 기준으로 색칠된 칸을 찾습니다.

✌ 오른쪽으로 뒤집었을 때의 알맞은 위치에 색칠하기

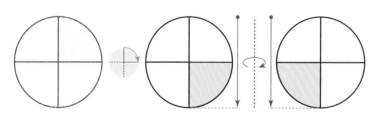

오른쪽으로 뒤집었을 때의 이동한 화살표를 이용하여 알맞은 위치를 찾아 색칠해요.

🐻 **개념** 짚어 보기

· 돌리고 뒤집기

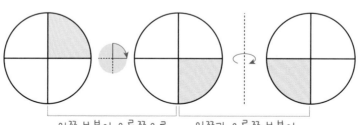

위쪽 부분이 오른쪽으로 이동합니다.　　왼쪽과 오른쪽 부분이 서로 바뀝니다.

🍯 도형을 주어진 방향으로 돌리고 뒤집었을 때의 알맞은 위치에 각각 색칠하세요.

1-1

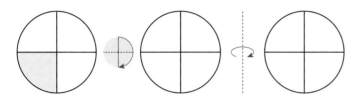

1-2

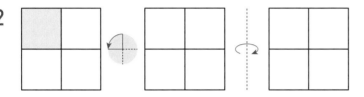

1-3

1-4

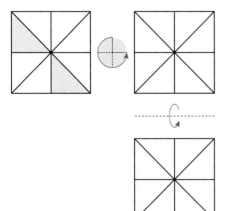

1-5

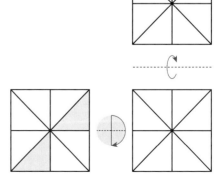

2^일 돌리고 뒤집기

(도형 집중 연습)

🍐 도형을 주어진 방향으로 돌리고 뒤집었을 때의 알맞은 위치에 각각 색칠하세요.

1-1
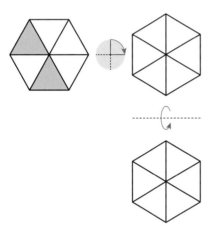

1-2
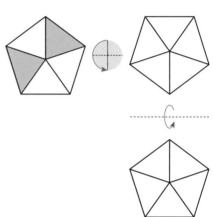

1-3

1-4

1-5
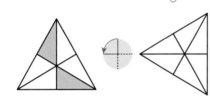

1-6
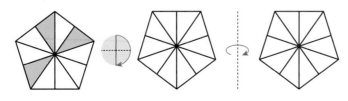

도형을 주어진 방향으로 돌리고 뒤집었을 때의 도형을 각각 완성하세요.

2-1

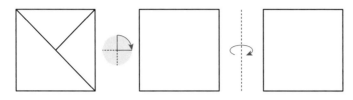

2-2

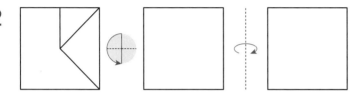

2-3

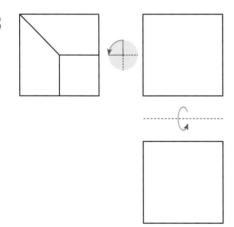

2-4

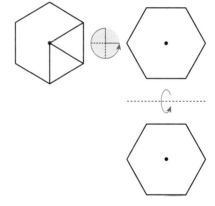

2-5

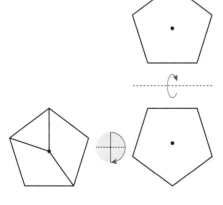

2-6

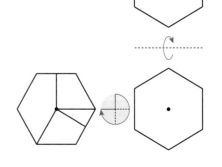

수 뒤집기와 돌리기

 오늘은 무엇을 공부할까요?

도형 기본 개념

● 수가 적힌 투명 종이를 아래쪽으로 뒤집기

0	1	2	3	4
0	1	5	3	냐
5	6	7	8	9
ᄅ	ᄅ	ᄂ	8	ᄅ

➡ 아래쪽으로 뒤집었을 때 수가 되는 것은 0, 1, 2, 3, 5, [①　　] 입니다.

정답 ❶ 8

수 뒤집기와 돌리기

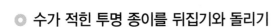 활동을 통하여 **해결 방법**을 알아보아요. 활동지

◉ 수가 적힌 투명 종이를 뒤집기와 돌리기

활동 1 오른쪽으로 뒤집기

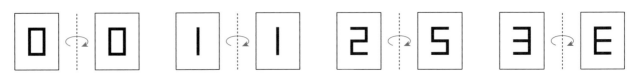

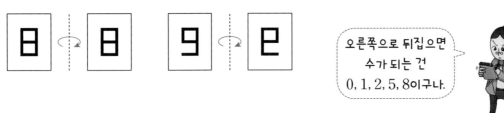

오른쪽으로 뒤집으면
수가 되는 건
0, 1, 2, 5, 8이구나.

활동 2 시계 방향으로 180°만큼 돌리기

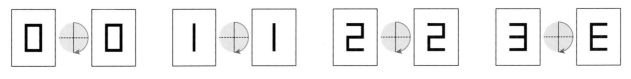

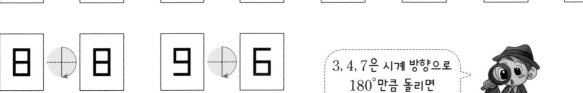

3, 4, 7은 시계 방향으로
180°만큼 돌리면
수가 안 돼요.

🐢 수가 적힌 투명 종이를 오른쪽 또는 왼쪽으로 뒤집었을 때 만들어지는 수를 써 보세요.

1-1 51 ↻ ⬚

1-2 82 ↻ ⬚

1-3 ⬚ ↻ 22

1-4 ⬚ ↻ 21

🐢 수가 적힌 투명 종이를 다음과 같이 돌렸을 때 만들어지는 수를 써 보세요.

2-1 99 ◖ ⬚

2-2 26 ◖ ⬚

2-3 61 ◖ ⬚

2-4 59 ◖ ⬚

3^일 수 뒤집기와 돌리기

도형 집중 연습

🍮 수가 적힌 투명 종이를 주어진 방향으로 뒤집고 돌렸을 때 만들어지는 수를 각각 써 보세요.

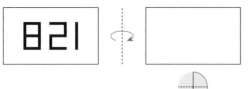

1-1

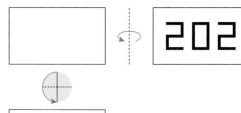

1-2

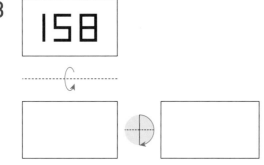

1-3

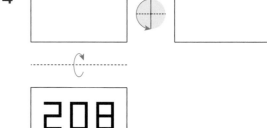

1-4

🍮 수가 적힌 투명 종이를 주어진 방향으로 돌리고 뒤집었을 때 만들어지는 수를 각각 써 보세요.

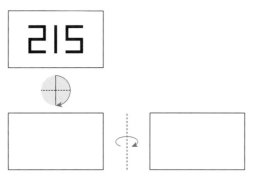

2-1

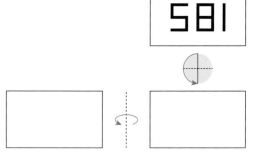

2-2

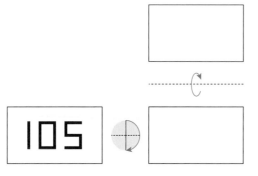

2-3

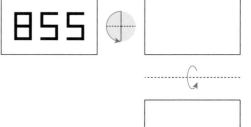

2-4

66 • 4단계

수가 적힌 투명 종이를 다음과 같이 움직였을 때 만들어지는 수를 써 보세요.

3-1 〈오른쪽으로 뒤집고  만큼 돌리기〉

588 ⇨

3-2 〈왼쪽으로 뒤집고 만큼 돌리기〉

201 ⇨

3-3 〈아래쪽으로 뒤집고 만큼 돌리기〉

852 ⇨

3-4 〈위쪽으로 뒤집고 만큼 돌리기〉

105 ⇨

3-5 〈 만큼 돌리고 왼쪽으로 뒤집기〉

132 ⇨

3-6 〈 만큼 돌리고 오른쪽으로 뒤집기〉

513 ⇨

3-7 〈 만큼 돌리고 위쪽으로 뒤집기〉

221 ⇨

3-8 〈 만큼 돌리고 아래쪽으로 뒤집기〉

805 ⇨

4일 연속하여 여러 번 움직이기

🐻 **오늘은 무엇을 공부**할까요?

도형 기본 개념

● **연속하여 여러 번 움직이기**

• 연속하여 뒤집기

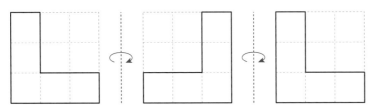

같은 방향으로 2번 뒤집으면 처음과 같은 모양이 됩니다.

• 연속하여 돌리기

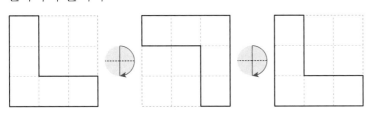

시계 방향으로 ❶ □°만큼 2번 돌리면 처음과 같은 모양이 됩니다.

정답 ❶ 180

 활동을 통하여 **개념**을 알아보아요.

○ 화살표가 가리키는 방향 알아보기

활동 1 🧀 를 가져간 쥐 찾아보기

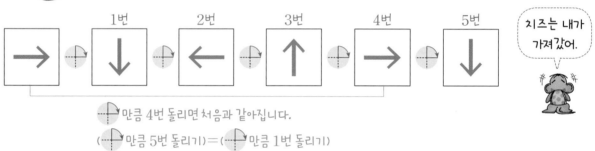

활동 2 🍩 을 가져간 쥐 찾아보기

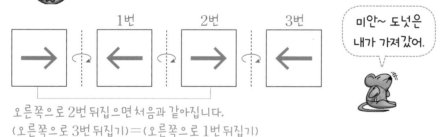

🐭 개념 짚어 보기

・연속하여 뒤집기

　같은 방향으로 2번, 4번, 6번…… 뒤집으면 처음과 같은 모양이 됩니다.
　　　　　　　　└→ 짝수 번 만큼

・연속하여 돌리기

　⤵(⤴) 또는 ⤴(⤵)만큼 4번, 8번, 12번…… 돌리면 처음과 같은 모양이 됩니다.
　　　　　　　　　　└→ 4씩 커집니다.

　⤵(⤴)만큼 2번, 4번, 6번…… 돌리면 처음과 같은 모양이 됩니다.
　　　　　　└→ 짝수 번 만큼

활동 개념 확인

🍮 화살표가 그려진 투명 종이를 다음과 같이 여러 번 움직였을 때의 화살표가 가리키는 방향의 쥐에 ◯표 하세요.

1-1 〈 만큼 7번 돌리기〉

1-2 〈왼쪽으로 3번 뒤집기〉

1-3 〈 만큼 3번 돌리기〉

1-4 〈아래쪽으로 6번 뒤집기〉

1-5 〈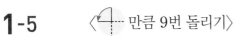 만큼 9번 돌리기〉

1-6 〈위쪽으로 5번 뒤집기〉

연속하여 여러 번 움직이기

도형 집중 연습

🦫 왼쪽 도형을 다음과 같이 여러 번 움직였을 때의 도형을 찾아 ○표 하세요.

1-1 〈오른쪽으로 4번 뒤집기〉

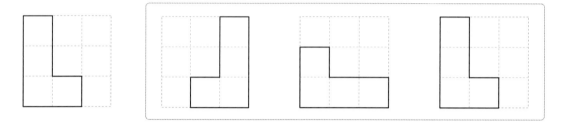

1-2 〈아래쪽으로 5번 뒤집기〉

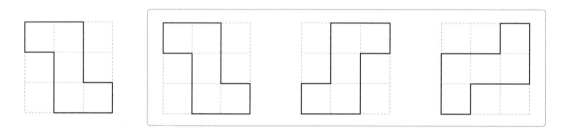

1-3 〈 만큼 5번 돌리기〉

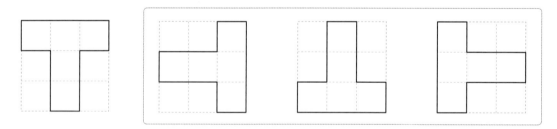

1-4 〈 만큼 7번 돌리기〉

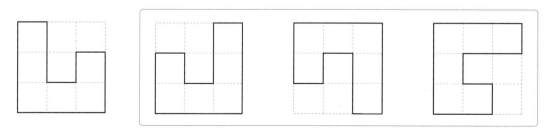

🍎 **보기** 와 같이 도형을 여러 번 움직였을 때의 도형을 차례로 그리세요.

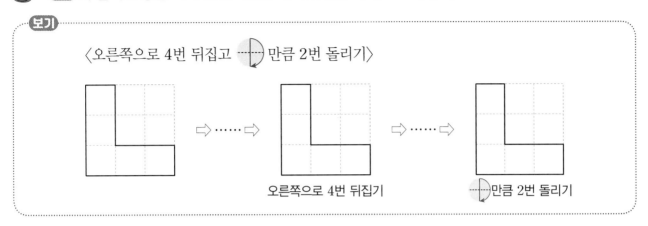

2-1 〈위쪽으로 3번 뒤집고 🔲 만큼 2번 돌리기〉

2-2 〈왼쪽으로 5번 뒤집고 🔲 만큼 3번 돌리기〉

2-3 〈아래쪽으로 4번 뒤집고 🔲 만큼 9번 돌리기〉

움직이기 전 도형

 ## 오늘은 무엇을 공부할까요?

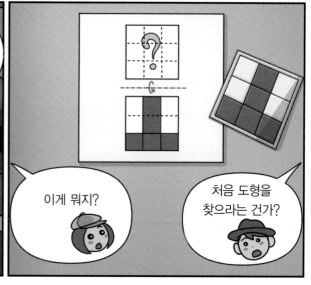

도형 기본 개념

● **움직이기 전의 처음 도형 알아보기**

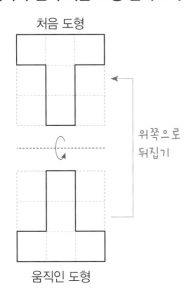

처음 도형

위쪽으로
뒤집기

움직인 도형

움직인 도형을 움직였던 방법과 거꾸로 하여 움직이면
처음 도형이 됩니다.

⇨ 아래쪽으로 뒤집기 전의 처음 도형을 알아보려면

움직인 도형을 ❶⬚ 쪽으로 뒤집습니다.

움직이기 전 도형

 활동을 통하여 **개념**을 알아보아요. 〈활동지〉

◉ **움직이기 전의 처음 도형을 알아보기**

활동 1 오른쪽으로 뒤집기 전의 도형 알아보기

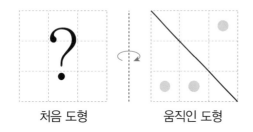

처음 도형　　움직인 도형

✌ 처음 도형을 찾는 방법 알아보기

처음 도형을 오른쪽으로 뒤집었으므로 거꾸로 움직인 도형을 왼쪽으로 뒤집어요.

✌ 움직인 도형을 왼쪽으로 뒤집기

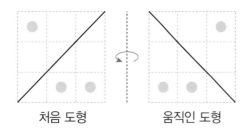

처음 도형　　움직인 도형

활동 2 ⌐┐만큼 돌리기 전의 도형 알아보기

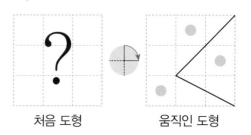

처음 도형　　움직인 도형

✌ 처음 도형을 찾는 방법 알아보기

처음 도형을 시계 방향으로 $90°$만큼 돌렸으므로 거꾸로 움직인 도형을 시계 반대 방향으로 $90°$만큼 돌려요.

✌ 움직인 도형을 ⌐┐만큼 돌리기

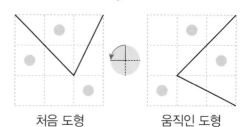

처음 도형　　움직인 도형

🐻 **개념** 짚어 보기

• **움직이기 전의 처음 도형을 찾는 방법**
　움직인 도형을 움직였던 방법과 거꾸로 하여 움직이면 처음 도형을 알 수 있습니다.

활동 개념 확인

도형을 다음과 같이 움직였습니다. 처음 도형을 그리세요.

1-1

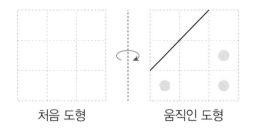

처음 도형　　　움직인 도형

1-2

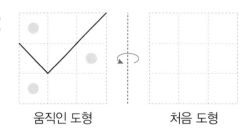

움직인 도형　　　처음 도형

1-3

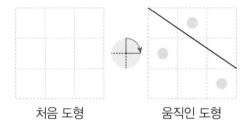

처음 도형　　　움직인 도형

1-4

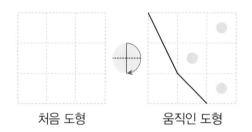

처음 도형　　　움직인 도형

1-5

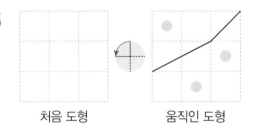

처음 도형　　　움직인 도형

1-6

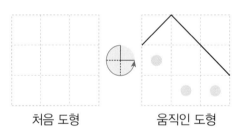

처음 도형　　　움직인 도형

1-7　처음 도형

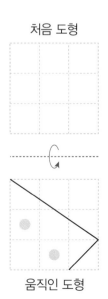

움직인 도형

1-8　움직인 도형

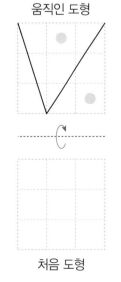

처음 도형

처음 도형은 움직인 도형을 아래쪽으로 뒤집으면 돼요.

도형 집중 연습

어떤 도형을 돌리고 뒤집었더니 다음 도형이 되었습니다. 빈 곳에 알맞은 도형을 각각 그리세요.

1-1

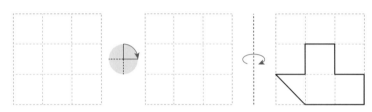

1-2

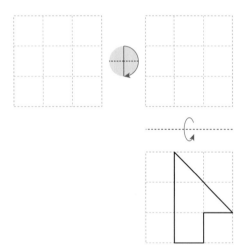

1-3

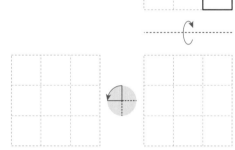

어떤 도형을 뒤집고 돌렸더니 다음 도형이 되었습니다. 빈 곳에 알맞은 도형을 각각 그리세요.

2-1

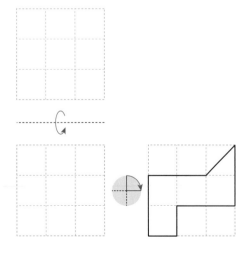

2-2

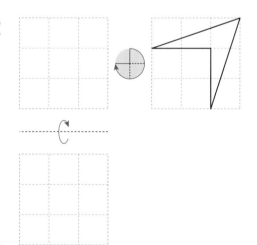

어떤 도형을 다음과 같이 움직였습니다. 처음 도형을 찾아 기호를 쓰세요.

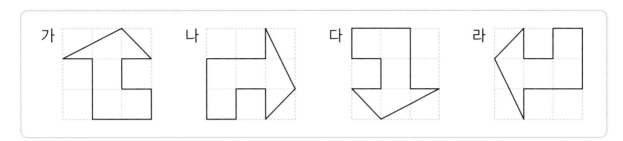

3-1

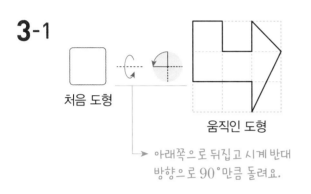

→ 아래쪽으로 뒤집고 시계 반대
방향으로 90°만큼 돌려요.

3-2

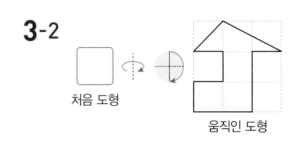

3-3

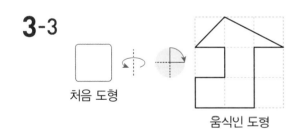

3-4

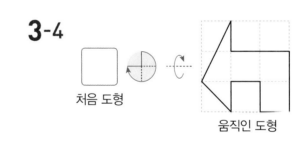

3-5

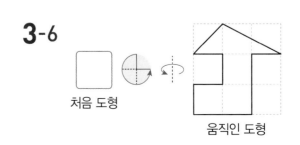

3-6

누구나 100점 맞는 TEST

[01~02] 도형을 주어진 방향으로 뒤집고 돌렸을 때의 도형을 각각 그리세요.

01

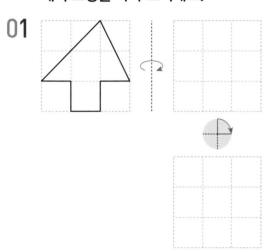

02

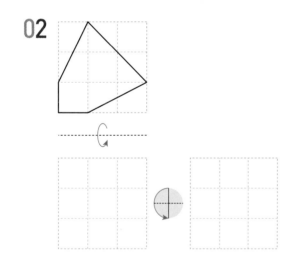

03 도형을 주어진 방향으로 돌리고 뒤집었을 때의 알맞은 위치에 각각 색칠하세요.

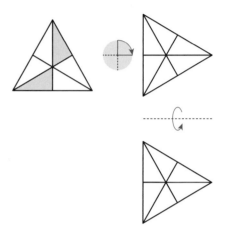

04 도형을 주어진 방향으로 돌리고 뒤집었을 때의 도형을 각각 완성하세요.

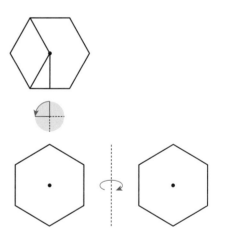

05 수가 적힌 투명 종이를 뒤집고 돌렸을 때 만들어지는 수를 각각 써 보세요.

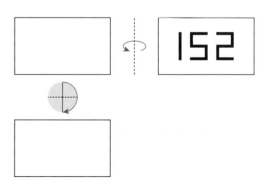

06 수가 적힌 투명 종이를 다음과 같이 움직였을 때 만들어지는 수를 써 보세요.

〈 만큼 돌리고 오른쪽으로 뒤집기〉

 ⇨

[07~08] 도형을 다음과 같이 여러 번 움직였을 때의 도형을 그리세요.

07 〈오른쪽으로 7번 뒤집기〉

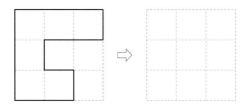

08 〈 만큼 5번 돌리기〉

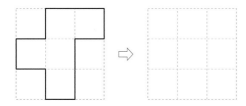

[09~10] 어떤 도형을 다음과 같이 움직였습니다. 처음 도형을 찾아 기호를 쓰세요.

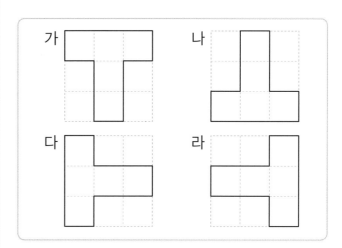

가   나

다   라

09

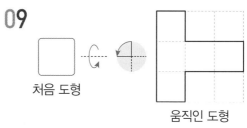

처음 도형   움직인 도형

10

처음 도형

움직인 도형

특강 창의·융합·코딩

블록을 돌리고 밀기

● **시계 방향으로 90°만큼 돌리고 오른쪽으로 밀기**

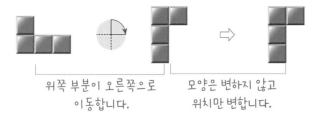

위쪽 부분이 오른쪽으로
이동합니다.

모양은 변하지 않고
위치만 변합니다.

블록을 밀면
모양은 변하지 않고
위치만 변해요.

● **시계 반대 방향으로 180°만큼 돌리고 오른쪽으로 밀기**

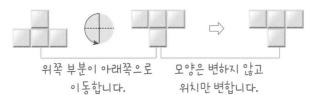

위쪽 부분이 아래쪽으로
이동합니다.

모양은 변하지 않고
위치만 변합니다.

글자 돌리기와 알파벳 뒤집기

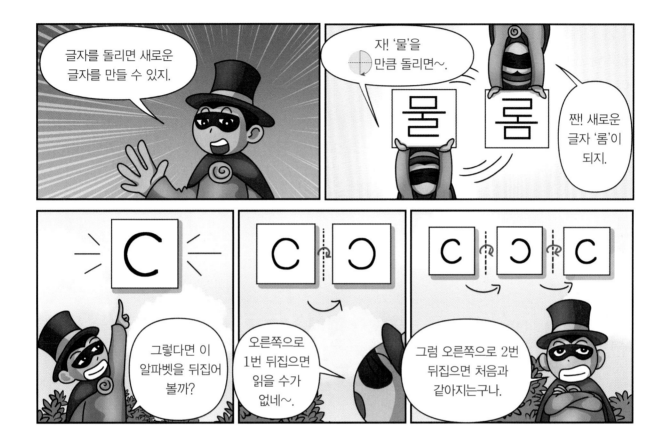

● 투명 종이에 적힌 글자 돌리기

글자를 시계 방향으로 180°만큼 돌리니 다른 글자가 되었어요.

● 투명 종이에 적힌 알파벳 뒤집기

알파벳 **C**를 같은 방향으로 2번 뒤집으면 처음과 같아집니다.

테트리스는 1984년 프로그래머인 알렉세이가 만든 컴퓨터 게임입니다. 테트리스는 오른쪽과 같이 각기 다른 모양의 7가지 블록을 이용하여 블록을 밀거나 돌려서 가로줄에 채워 넣으면 해당하는 줄이 사라지면서 점수를 얻습니다.

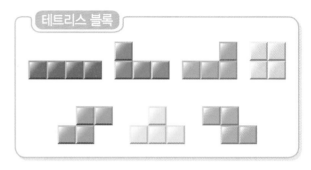

테트리스 블록

다음 게임에서 내려오는 블록을 시계 방향으로 90°만큼 돌린 다음 밀기를 이용하여 가장 아래 줄을 없앨 수 있습니다.

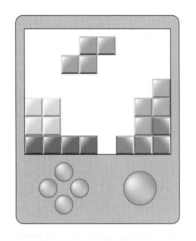 ⇨ 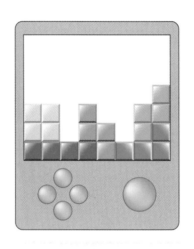 ⇨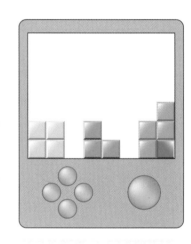

내려오는 블록을 시계 방향으로 90°만큼 돌립니다.

밀기를 이용하여 가장 아래 한 줄을 맞추어 없앱니다.

남은 블록에서 게임을 계속 이어갑니다.

1 다음 게임에서 주어진 블록을 쌓아 가장 아래 한 줄을 없애려면 어떻게 돌려야 하는지 알맞은 것에 ◯표 하세요.

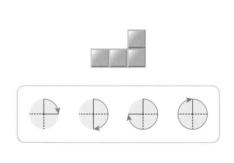

그림에서 주어진 블록을 쌓아 가장 아래 한 줄을 없애려면 어떻게 돌려야 하는지 알맞은 것에 ○표
하세요.

2

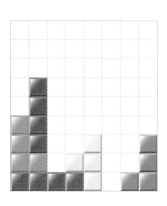

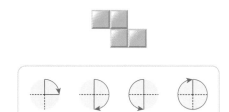

3

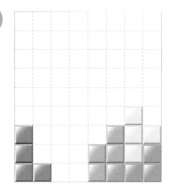

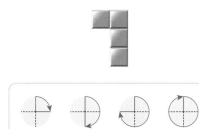

4

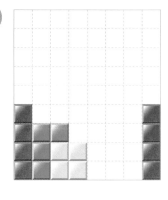

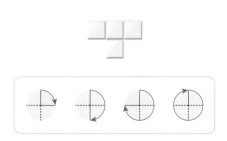

한글은 ㄱ, ㄴ, ㄷ, ㄹ……의 자음자와 ㅏ, ㅑ, ㅓ, ㅕ……의 모음자로 이루어져 있습니다. 글자가 적힌 투명 종이를 다음과 같이 돌렸을 때 만들어지는 글자를 찾아 ○표 하세요.

5 곰 　묵　　눔　　문

6 운 　공　　농　　궁

7 록 　론　　눌　　굴

8 뭉 　옴　　움　　몽

9 론 　골　　눌　　굴

융합

알파벳은 언어를 표기하는 문자로 대문자 A, B, C, D······와 소문자 a, b, c, d······로 이루어져 있습니다. 보기와 같이 알파벳이 적힌 투명 종이를 주어진 방향으로 뒤집었을 때 색칠된 칸에 알맞은 모양을 나타내어 보세요.

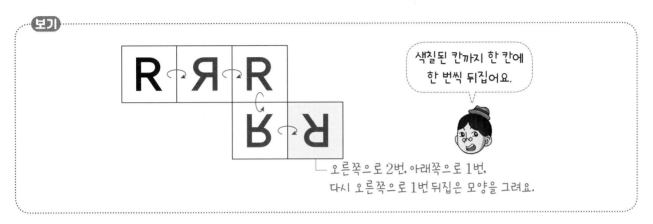

보기

색칠된 칸까지 한 칸에 한 번씩 뒤집어요.

오른쪽으로 2번, 아래쪽으로 1번, 다시 오른쪽으로 1번 뒤집은 모양을 그려요.

⑩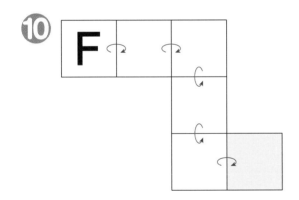

⑪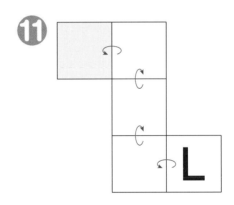

⑫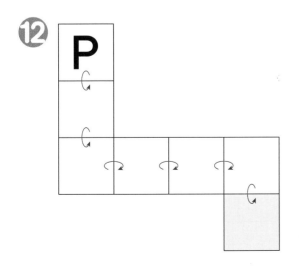

⑬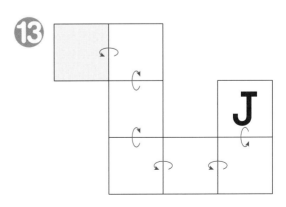

각도·삼각형

 이번 주에는 무엇을 공부할까요? ①

저희 돌아왔어요~.

에구…

괴도를 놓쳤다며?

네. 그렇지만 다음에는 꼭 잡고 말 거예요!

아자!

이자!

잠깐! 그대로 멈춰!

네?

음…… 역시!

갑자기 왜 그러세요?

무슨 일이에요?

항상 차현이는 직각보다 작게, 한나는 직각보다 크게 팔을 벌리는구나.

저희 팔 아픈데 내려도 되죠?

지금 그게 중요한가요?

이번 주에는 무엇을 공부할까요?

❋ 각도 재어 보기

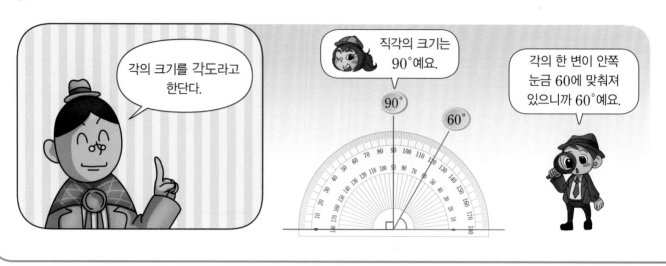

🐻 각도기를 이용하여 각도를 재어 보세요. 활동지

1-1

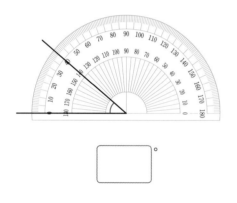

1-2

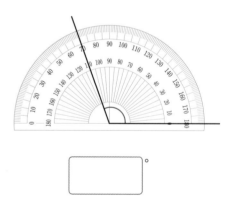

1-3

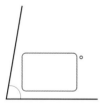

1-4

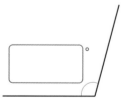

1-5

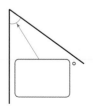

1-6

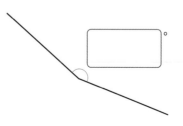

✳ 각 그리기

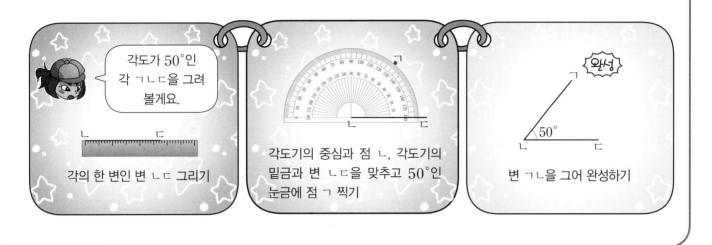

🐻 각도기와 자를 이용하여 주어진 각도의 각을 그려 보세요. 　활동지

2-1　　　75°

2-2　　　30°

2-3　　　100°

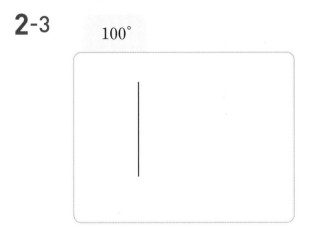

2-4　　　125°

예각, 직각, 둔각

🐻오늘은 무엇을 공부할까요?

이번에는 제가 해볼게요. 5시도 둔각 이니까……

도형 조각과 핸드폰? 이걸로 뭘 하라는 걸까?

근데 이게 뭐지?

아, 괴도가 말한 시각이 5시인가 봐요. 비밀의 문이 열렸어요.

도형 기본 개념

● 각을 크기에 따라 분류하기

직각은 각도가 90°인 각이에요.

• 예각: 각도가 $\boxed{①}$°보다 크고 직각보다 작은 각

• 둔각: 각도가 직각보다 크고 $\boxed{②}$°보다 작은 각

정답 ① 0 ② 180

1일 예각, 직각, 둔각

활동을 통하여 개념을 알아보아요.

● 시계에 짧은바늘 그려 넣기

긴바늘은 12를 가리켜요.

참고

• 직각이 되도록 짧은바늘 그리기

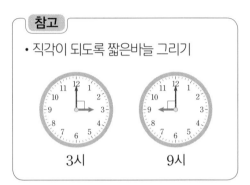

3시　　　　9시

활동 1 직각보다 작은 각이 되도록 짧은바늘 그리기

2시　　　　　　11시

긴바늘과 짧은바늘이 이루는 작은 쪽의 각이 2시, 11시와 같이 0°보다 크고 직각보다 작은 각을 예각이라고 합니다.

활동 2 직각보다 큰 각이 되도록 짧은바늘 그리기

5시　　　　　　8시

긴바늘과 짧은바늘이 이루는 작은 쪽의 각이 5시, 8시와 같이 직각보다 크고 180°보다 작은 각을 둔각이라고 합니다.

개념 짚어 보기

• **직각**: 각도가 90°인 각
• **예각**: 각도가 0°보다 크고 직각보다 작은 각
• **둔각**: 각도가 직각보다 크고 180°보다 작은 각

(활동 개념 확인)

시계의 긴바늘과 짧은바늘이 이루는 작은 쪽의 각이 예각이면 '예', 직각이면 '직', 둔각이면 '둔'이 라고 쓰세요.

1-1

1-2

1-3

1-4

1-5

1-6

1-7

1-8

도형 집중 연습

주어진 각이 예각이면 '예', 둔각이면 '둔'이라고 쓰세요.

1-1

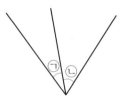

ㄱ: ☐ , ㄴ: ☐

1-2

ㄱ: ☐ , ㄴ: ☐

1-3

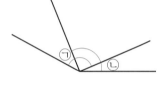

ㄱ: ☐ , ㄴ: ☐

1-4

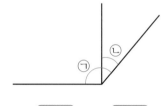

ㄱ: ☐ , ㄴ: ☐

1-5

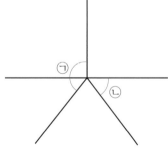

ㄱ: ☐ , ㄴ: ☐

1-6

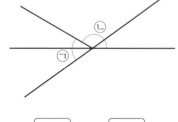

ㄱ: ☐ , ㄴ: ☐

🐢 도형에서 찾을 수 있는 크고 작은 예각은 모두 몇 개인지 구하세요.

2-1

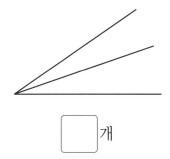

각 1개로 이루어진 예각과 각 2개로 이루어진 예각의 수를 모두 세어 봐요.

☐ 개

2-2

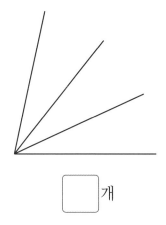

☐ 개

2-3

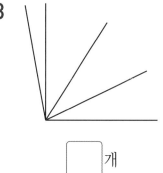

☐ 개

2-4

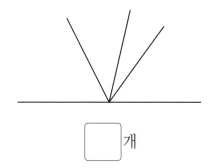

☐ 개

2-5

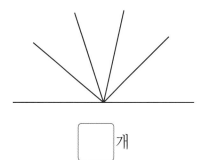

☐ 개

삼각형의 세 각의 크기

🐻 오늘은 무엇을 공부할까요?

이 조각들로 뭘 어쩌라는 걸까?

잠깐, 메시지가 왔어!

띵동

세 조각으로 삼각형을 만들어라 ......?

훗! 그 정도쯤이야!

으라차!

완성!

띵동

두 번째 메시지야.

이번에는 세 조각으로 왕관을 만들고 춤을 추래.

무슨 춤을 추라는 거지?

몰라. 일단 왕관부터 만들자.

무늬들을 보니 꼭짓점을 맞닿게 돌리면 될 것 같아. 내가 만들어 볼게.

앗! 나 뭔가를 알 것 같아.

뭐를?

도형 기본 개념

● 삼각형의 세 각의 크기의 합

 ⇨ ⇨

일직선이므로
180°입니다.

삼각형은 세 각의 크기의
합이 **❶** °로
모두 같아요.

삼각형의 세 각을
색칠합니다.

삼각형을 세 조각으로
자릅니다.

세 꼭짓점이 한 점에 모이도록
겹치지 않게 이어 붙입니다.

삼각형의 세 각의 크기의 합은 180°입니다.

참고

사각형의 네 각의 크기의 합은 360°입니다.

 ⇨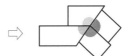

정답 **❶** 180

 **일 삼각형의 세 각의 크기**

 활동을 통하여 **개념**을 알아보아요.

◉ 삼각형 모양의 종이에서 남은 부분을 보고 잘린 한 각의 크기 구하기

활동 1 자와 각도기를 이용하여 잘린 한 각의 크기 구하기

삼각형의 왼쪽 변에 맞춰 직선을 긋습니다.

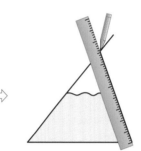

삼각형의 오른쪽 변에 맞춰 직선을 긋고 삼각형을 완성합니다.

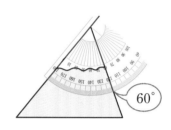

각도기로 잘린 한 각의 크기를 재어 구합니다.

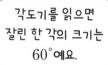
각도기를 읽으면 잘린 한 각의 크기는 60°예요.

활동 2 삼각형의 세 각의 크기의 합을 이용하여 잘린 한 각의 크기 구하기

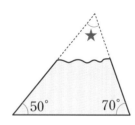

삼각형의 세 각의 크기의 합에서 나머지 두 각의 크기를 빼어 잘린 한 각의 크기를 구합니다.

$\Rightarrow ★ = 180° - 50° - 70° = 60°$

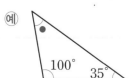 **개념** 짚어 보기

• 삼각형에서 한 각의 크기를 구할 때에는 삼각형의 세 각의 크기의 합이 180°임을 이용합니다.

예

$\Rightarrow ● = 180° - 100° - 35° = 45°$

활동 개념 확인

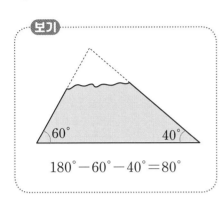와 같이 삼각형 모양의 종이에서 잘린 한 각의 크기를 구하세요.

보기

$$180° - 60° - 40° = 80°$$

1-1

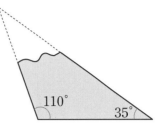

$$180° - 110° - 35° = \boxed{}°$$

1-2

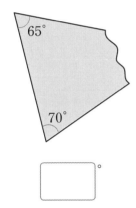

$\boxed{}°$

1-3

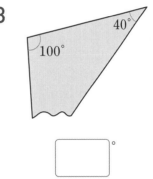

$\boxed{}°$

1-4

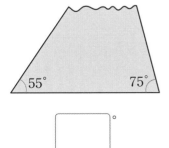

$\boxed{}°$

1-5

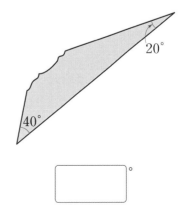

$\boxed{}°$

도형 집중 연습

🍐 두 종류의 삼각자를 보고 ☐ 안에 알맞은 수를 써넣으세요.

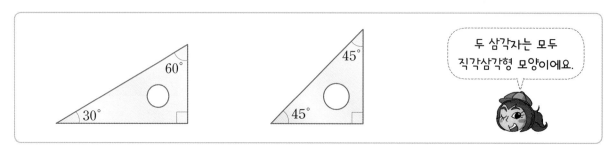

1-1

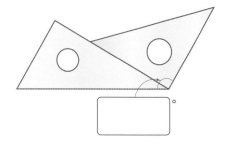

1-2

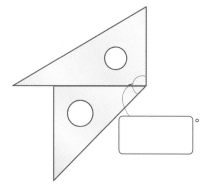

1-3

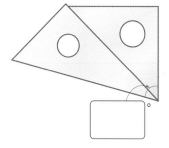

1-4

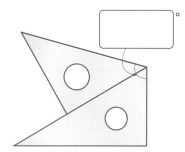

1-5

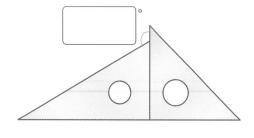

1-6

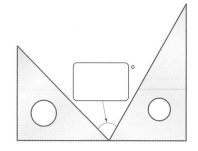

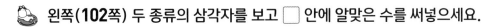

🐻 왼쪽(**102**쪽) 두 종류의 삼각자를 보고 ☐ 안에 알맞은 수를 써넣으세요.

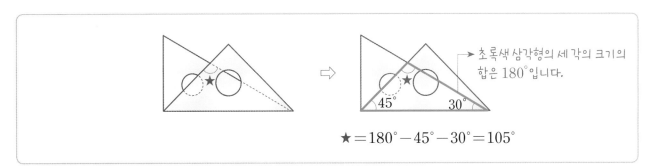

→ 초록색 삼각형의 세 각의 크기의 합은 180°입니다.

45°   30°

★＝180°－45°－30°＝105°

2-1

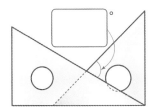

☐°

삼각형의 세 각의 크기의 합이 180°임을 이용해요.

2-2

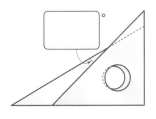

☐°

2-3

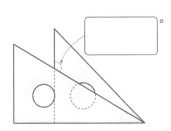

☐°

2-4

☐°

2-5

☐°

80°

예각삼각형, 둔각삼각형

 오늘은 무엇을 공부할까요?

도형 기본 개념

● 각의 크기에 따라 삼각형 분류하기

- 예각삼각형: 세 각이 모두 **❶** 인 삼각형

예각이 있다고 모두 예각삼각형인 것은 아니에요. 세 각이 모두 예각이어야 해요.

- 둔각삼각형: 한 각이 **❷** 인 삼각형

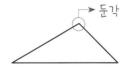
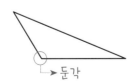

정답 **❶** 예각 **❷** 둔각

3^일 예각삼각형, 둔각삼각형

 활동을 통하여 **개념**을 알아보아요.

◎ 삼각형을 세 각의 크기에 따라 분류하기

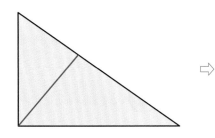

직각삼각형 모양의 종이를 잘라서 나온 삼각형의 이름을 각각 알아봐요.

☝ 삼각형의 세 각이 각각 예각인지 둔각인지 알아보기

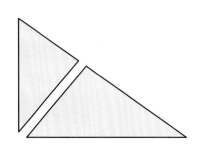

예각인지 둔각인지 눈으로 확인하기 어려운 경우에는 직각과 비교합니다.

직각보다 작으므로 예각이에요.

직각보다 크므로 둔각이에요.

✌ 세 각의 크기에 따라 삼각형의 이름 알아보기

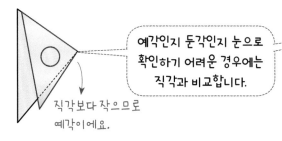

세 각이 모두 예각이므로 예각삼각형이라고 합니다.

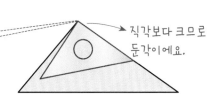

한 각이 둔각이므로 둔각삼각형이라고 합니다.

🐻 **개념** 짚어 보기

·예각삼각형	·직각삼각형	·둔각삼각형
세 각이 모두 예각인 삼각형	한 각이 직각인 삼각형	한 각이 둔각인 삼각형

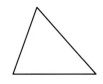

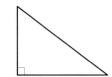

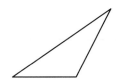

활동 개념 확인

종이띠를 선을 따라 잘랐을 때 만들어지는 삼각형은 각각 몇 개인지 세어 보세요.

1-1

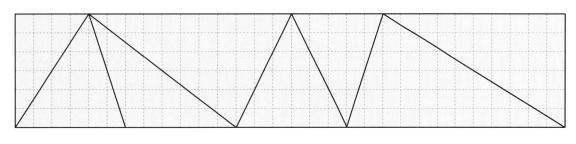

예각삼각형: ⬜ 개, 직각삼각형: ⬜ 개, 둔각삼각형: ⬜ 개

1-2

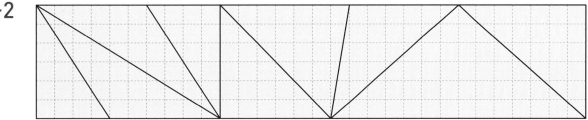

예각삼각형: ⬜ 개, 직각삼각형: ⬜ 개, 둔각삼각형: ⬜ 개

1-3

예각삼각형: ⬜ 개, 직각삼각형: ⬜ 개, 둔각삼각형: ⬜ 개

1-4

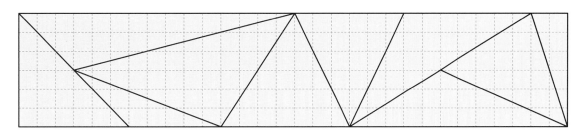

예각삼각형: ⬜ 개, 직각삼각형: ⬜ 개, 둔각삼각형: ⬜ 개

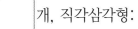

도형 집중 연습

🍮 그림에서 찾을 수 있는 크고 작은 예각삼각형은 모두 몇 개인지 구하세요.

1-1

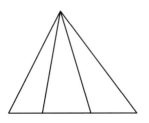

- 1칸짜리 예각삼각형: 1개
- 2칸짜리 예각삼각형: ☐개
- 3칸짜리 예각삼각형: ☐개

⇨ 1+☐+☐=☐(개)

이건 둔각삼각형이니 세면 안 돼요.

1-2

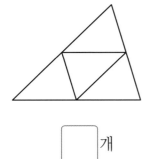

☐개

1-3

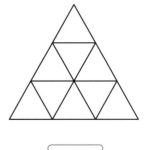

☐개

1-4

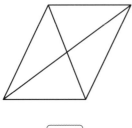

☐개

1-5

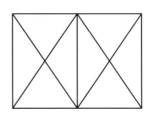

☐개

🍮 그림에서 찾을 수 있는 크고 작은 둔각삼각형은 모두 몇 개인지 구하세요.

2-1

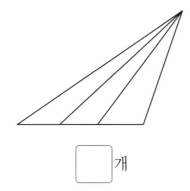

◻ 개

2-2

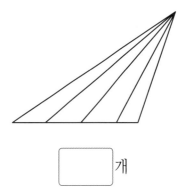

◻ 개

2-3

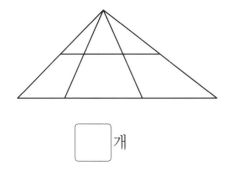

◻ 개

이렇게 2개짜리
삼각형도 찾을 수 있어.

그건
예각삼각형이니까
잘못 찾은 거야~.

2-4

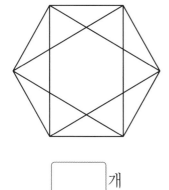

◻ 개

2-5

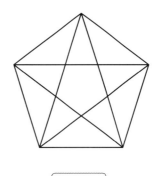

◻ 개

4일 이등변삼각형, 정삼각형

 오늘은 무엇을 공부할까요?

문제를 해결하니 차현이의 기분이 좋구나.

하핫!

이봐, 괴도!

왜이리 늦게 오는 거야? 한참 기다렸네. 너희 집에 선물을 놓고 가니 잘 찾아봐라!

그럼! 이만!

거기 서라!

이런! 우리가 없는 사이에 왔다가다니.

근데 무슨 선물을 놓고 갔다는 거지?

징검다리도 아니고 웬 삼각형들이야?

잠깐, 느낌이 이상해! 밟지 말아봐~.

윽! 뭐야! 이 구리구리한 냄새는!

거 봐. 기다리라니까.

여기 이등변삼각형만 밟고 가라고 주의 사항이 적혀 있구나.

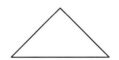

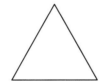

도형 기본 개념

● **변의 길이에 따라 삼각형 분류하기**

• 이등변삼각형: 두 변의 길이가 같은 삼각형

• 정삼각형: ^❶　　　 변의 길이가 같은 삼각형

> 정삼각형도 두 변의 길이는 같기 때문에 이등변삼각형 이라고 할 수 있어요.

정답 ❶ 세

 **^일 이등변삼각형, 정삼각형**

○ **색종이로 삼각형 만들기**

[활동 **1**] 색종이로 두 변의 길이가 같은 이등변삼각형 만들기

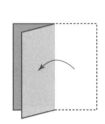   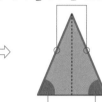

색종이를 겹쳐서 잘랐기 때문에
두 변의 길이가 같아요.

색종이를 겹쳐서 잘랐기 때문에
두 각의 크기가 같아요.

[활동 **2**] 색종이로 세 변의 길이가 같은 정삼각형 만들기

색종이에 그린 두 변의 길이는 색종이의 한 변의 길이와
같으므로 만든 삼각형의 세 변의 길이가 모두 같아요.

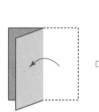 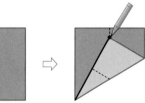 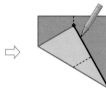

색종이의 아래 두 꼭짓점을 각각 접은
선에 맞게 올려 접은 후 선을 긋습니다.

정삼각형을 두 각씩 만나도록 접어보면 모두 겹치므로 세 각의 크기가 모두 같아요.

개념 짚어 보기

· **이등변삼각형**: 두 변의 길이가 같은 삼각형

두 변의 길이가 같아요.

두 각의 크기가 같아요.

· **정삼각형**: 세 변의 길이가 같은 삼각형

60°

60°   60°

↳ 삼각형의 세 각의 크기의 합이 180°이므로 정삼
각형의 한 각의 크기는 180°÷3＝60°예요.

활동 개념 확인

접은 종이를 잘라서 펼쳤을 때 만들어지는 삼각형이 정삼각형이면 ○표, 아니면 ✕표 하세요.

1-1

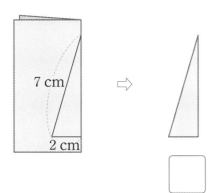

자른 종이를 펼쳤을 때의 모양을 살펴봐야 해요.

1-2

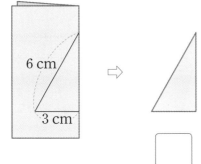

1-3

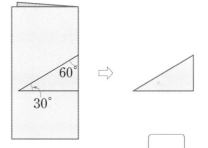

1-4

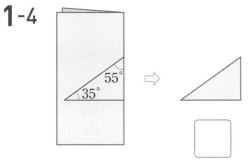

1-5

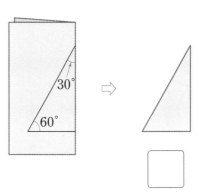

이등변삼각형, 정삼각형

(도형 집중 연습)

보기와 같은 이등변삼각형과 정삼각형으로 만든 도형입니다. 파란색 선의 길이의 합은 몇 cm인지 구하세요.

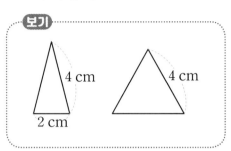

1-1

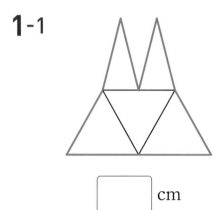

☐ cm

1-2

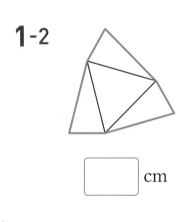

☐ cm

1-3

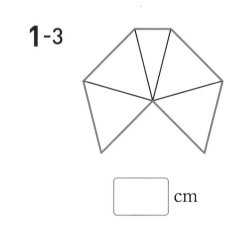

☐ cm

1-4

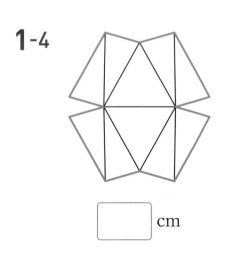

☐ cm

1-5

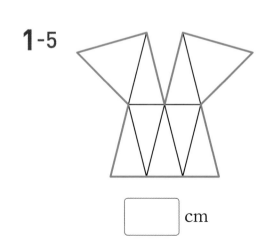

☐ cm

한 변의 길이가 5 cm인 정삼각형을 규칙에 따라 이어 붙인 것입니다. 여섯째 모양에서 둘레는 몇 cm인지 구하세요.

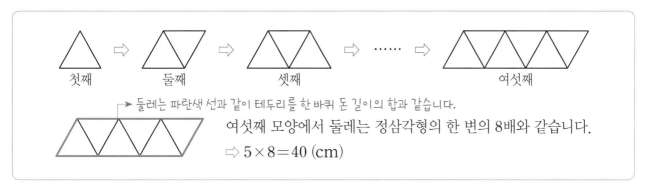

둘레는 파란색 선과 같이 테두리를 한 바퀴 돈 길이의 합과 같습니다.

여섯째 모양에서 둘레는 정삼각형의 한 변의 8배와 같습니다.

$\Rightarrow 5 \times 8 = 40$ (cm)

2-1

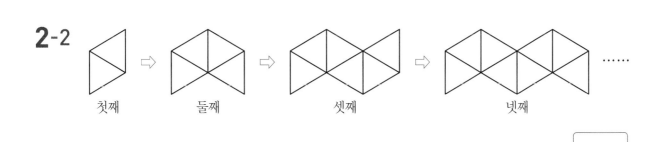

첫째 ⇨ 둘째 ⇨ 셋째 ......

[ ] cm

2-2

첫째 ⇨ 둘째 ⇨ 셋째 ⇨ 넷째 ......

[ ] cm

2-3

첫째 ⇨ 둘째 ⇨ 셋째 ......

[ ] cm

삼각형 그리기

🐻 오늘은 무엇을 공부할까요?

도형 기본 개념

● **한 점을 이어 삼각형 그리기**

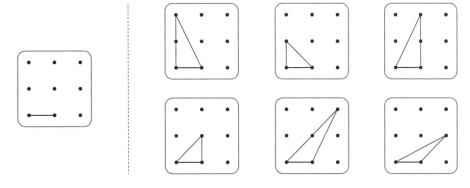

주어진 선분에 한 점을 이어 삼각형 [❶] 개를 그릴 수 있습니다.

그중에서 직각삼각형은 4개, 둔각삼각형은 [❷] 개입니다.

삼각형 그리기

 활동을 통하여 **해결 방법**을 알아보아요.

● 한 점을 이어 삼각형 그리기

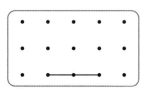

주어진 선분을 이용하여
예각삼각형과 둔각삼각형을
각각 그려 봐요.

활동 1 예각삼각형 그리기

① 선분의 양 끝점에서 각각 예각이 되는 점 찾기

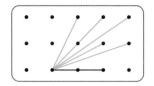 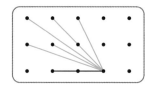

② 세 각이 모두 예각인 예각삼각형 그리기

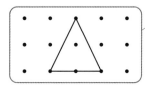

→ 양 끝점에서 모두 예각이
되는 점을 찾아 삼각형을
완성해요.

주의

아래 삼각형은 양 끝점에서 모두 예각이 되
지만 나머지 한 각이 직각이므로 직각삼각
형입니다.

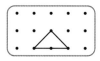

활동 2 둔각삼각형 그리기

① 선분의 양 끝점에서 각각 둔각이 되는 점 찾기

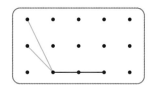 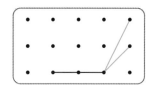

② 한 각이 둔각인 둔각삼각형 그리기

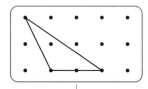 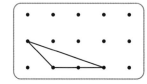 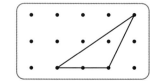 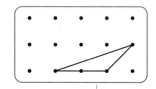

한 끝점에서 둔각이 되는 점을 찾아 삼각형을 완성해요.

히결 방법 확인

1-1 주어진 선분을 한 변으로 하는 예각삼각형을 3개 완성하세요.

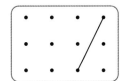 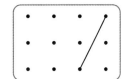 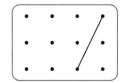

1-2 주어진 선분을 한 변으로 하는 둔각삼각형을 4개 완성하세요.

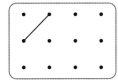 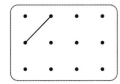 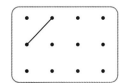 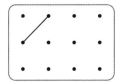

주어진 선분을 한 변으로 하는 삼각형을 완성하세요.

2-1 예각삼각형

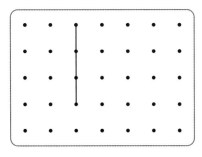

2-2 둔각삼각형

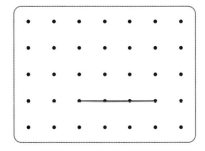

2-3 예각삼각형

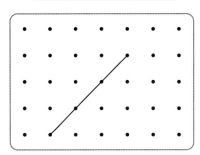

2-4 둔각삼각형

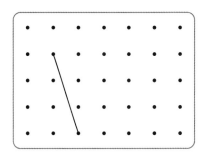

5^일 삼각형 그리기

도형 집중 연습

1 주어진 선분을 한 변으로 하는 이등변삼각형을 5개 완성하세요.

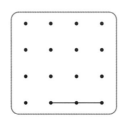

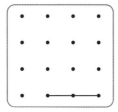
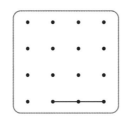
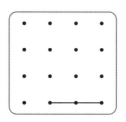

주어진 선분을 길이가
같은 변으로 하거나 다른
변으로 하는 이등변삼각형을
각각 그려 봐요.

주어진 선분을 한 변으로 하는 이등변삼각형은 몇 개 그릴 수 있는지 구하세요.

2-1

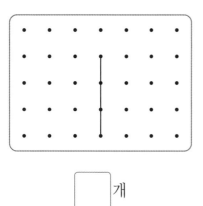

☐ 개

2-2

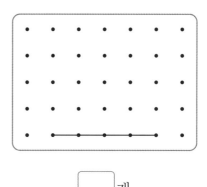

☐ 개

2-3

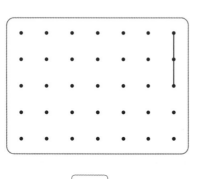

☐ 개

2-4

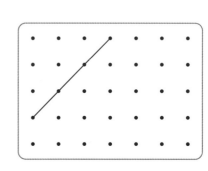

☐ 개

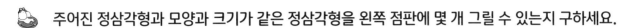

주어진 정삼각형과 모양과 크기가 같은 정삼각형을 왼쪽 점판에 몇 개 그릴 수 있는지 구하세요.

3-1

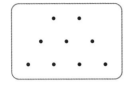

$\boxed{}$ 개 $\boxed{}$ 개 $\boxed{}$ 개

3-2

$\boxed{}$ 개 $\boxed{}$ 개 $\boxed{}$ 개

점판에 그릴 수 있는 크고 작은 정삼각형은 모두 몇 개인지 구하세요.

4-1

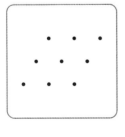

$\boxed{}$ 개

4-2

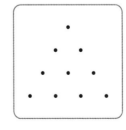

$\boxed{}$ 개

[01~02] 주어진 각이 예각이면 '예', 둔각이면 '둔' 이라고 쓰세요.

01

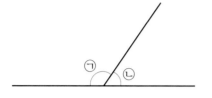

㉠: ☐, ㉡: ☐

02

㉠: ☐, ㉡: ☐

03 도형에서 찾을 수 있는 크고 작은 예각은 모두 몇 개일까요?

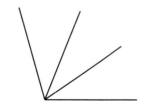

☐ 개

[04~05] 두 종류의 삼각자를 보고 ☐ 안에 알맞은 수를 써넣으세요.

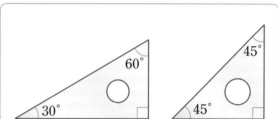

04

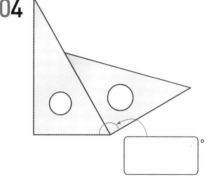

☐ °

05

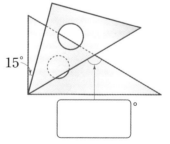

☐ °

[06~07] 보기 와 같은 이등변삼각형과 정삼각형으로 만든 도형입니다. 파란색 선의 길이의 합은 몇 cm인지 구하세요.

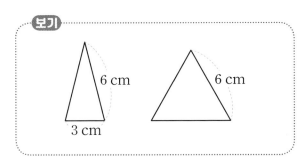

보기

06

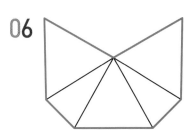

☐ cm

07

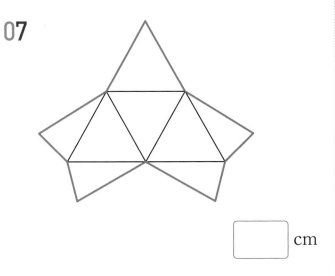

☐ cm

08 그림에서 찾을 수 있는 크고 작은 예각삼각형은 모두 몇 개일까요?

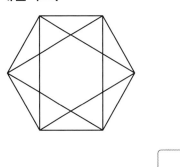

☐ 개

09 그림에서 찾을 수 있는 크고 작은 둔각삼각형은 모두 몇 개일까요?

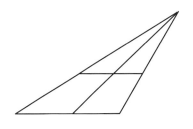

☐ 개

3주

평가

10 점판에 그릴 수 있는 크고 작은 정삼각형은 모두 몇 개일까요?

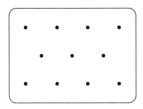

☐ 개

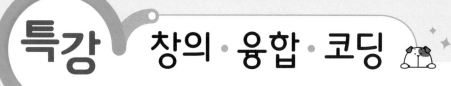

성냥개비를 옮겨 정삼각형 만들기

● **성냥개비 2개를 옮겨 정삼각형 5개 만들기**
└→ 정삼각형의 크기는 상관없어요.

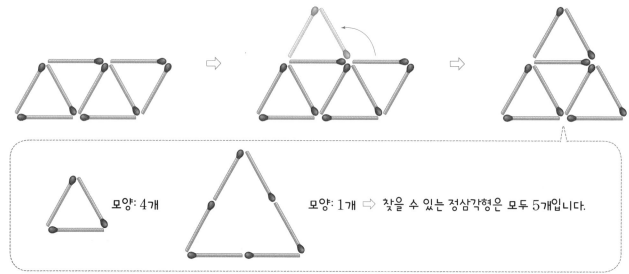

모양: 4개　　모양: 1개 ⇨ 찾을 수 있는 정삼각형은 모두 5개입니다.

블록 명령에 따라 움직이기

➡ 블록을 쌓듯 쉽게 만들어 하는 코딩
● **블록 명령**에 따라 거북이 지나는 길 나타내기

거북이 지나간 길은
선을 따라 그려져요.

① 거북을 만듭니다.

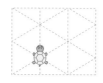

② 거북이 가는 방향으로
앞으로 1칸 이동합니다.

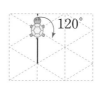
1칸

③ 거북이 가는 방향에서 시계 방향으로
120° 돌립니다.

120°
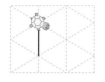

창의

<보기>와 같이 성냥개비를 옮겨 조건에 맞는 도형을 만들어 보세요.

보기

성냥개비 2개를 옮겨 정삼각형 1개 만들기

1 성냥개비 2개를 옮겨 정삼각형 3개 만들기

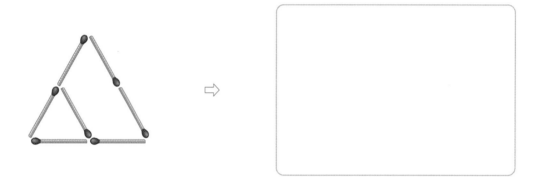

2 성냥개비 4개를 옮겨 정삼각형 3개 만들기

3 성냥개비 4개를 빼서 크기가 같은 정삼각형 6개를 만들려고 합니다. 빼내야 하는 성냥개비에 모두 ✕표 하세요.

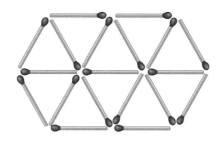

4 성냥개비 3개를 빼서 정삼각형 7개를 만들려고 합니다. 빼내야 하는 성냥개비에 모두 ✕표 하세요.

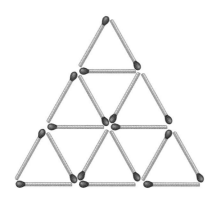

크기가 다른 정삼각형을 만들어도 돼요.

코딩

블록 명령에 따라 정삼각형을 완성하세요.

5

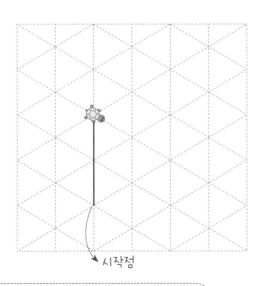

시작점

 시작점에서 앞으로 2칸 이동 후 시계 방향으로 120° 돌린 거예요.
이 과정을 2번 더 반복해서 그려 봐요.

6

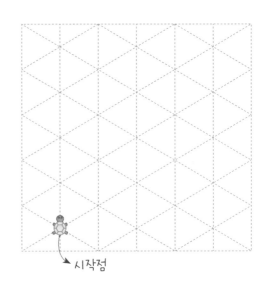

시작점

7 보기 와 같이 블록 명령에 따라 도형을 완성하세요.

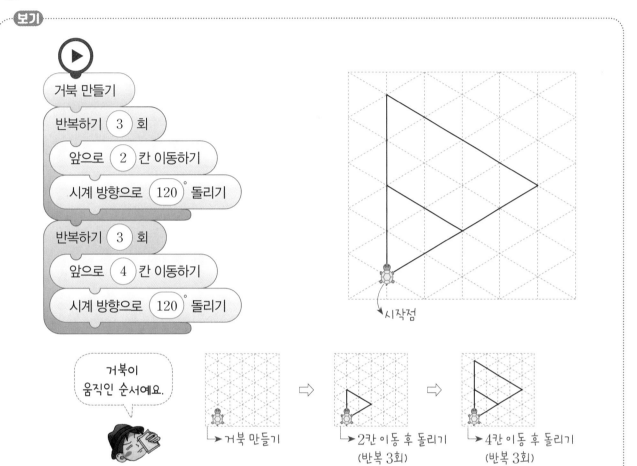

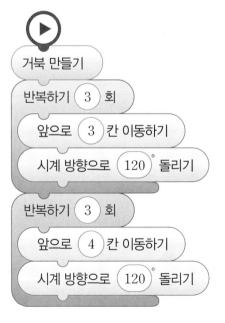

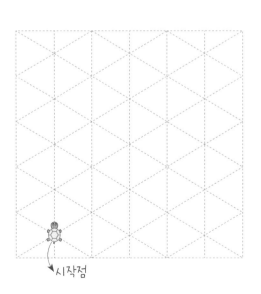

4주 사각형, 다각형

 이번 주에는 무엇을 공부할까요? ❶

괴도!
내가 꼭
잡고 말테다.

으걱!

괴도로 부터
쪽지가?

날 잡는게 쉽지
않을껄~
날 꼭 잡고 싶다면
다각형에 대해
잘 알고 있어야
할거야.

다각형?
한나야, 너 다각형이
뭔 줄 알아?

그건 내가 알려주마.
선분으로만 둘러싸인
도형이 다각형이란다.

이번 주에는 무엇을 공부할까요? ②

* **수직 알아보기**

🐻 도형에서 두 변이 서로 수직인 곳은 모두 몇 개인지 쓰세요.

1-1
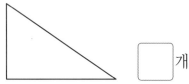 ☐ 개

1-2
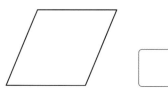 ☐ 개

1-3
 ☐ 개

1-4
 ☐ 개

1-5
 ☐ 개

1-6
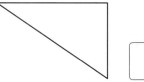 ☐ 개

✿ 평행 알아보기

🐻 도형에서 서로 평행한 두 변을 찾아 모두 ◯표 하세요.

2-1

2-2

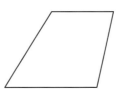

2-3

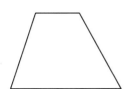

2-4

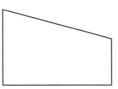

2-5

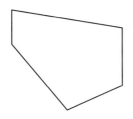

2-6

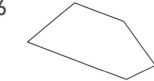

 1일 평행선에서 각도 구하기

오늘은 무엇을 공부할까요?

도형 기본 개념

 평행선에서 각 ★의 크기를 구할 때에는 수선을 그어 알아보면 좋아요.

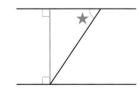

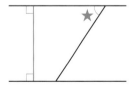

⇨ ★의 각도는 삼각형의 세 각의 크기의 합인 180°에서 나머지 두 각의 크기를 빼어 구합니다.

⇨ ★의 각도는 사각형의 네 각의 크기의 합인 360°에서 나머지 세 각의 크기를 빼어 구합니다.

1^일 평행선에서 각도 구하기

 활동을 통하여 **해결 방법**을 알아보아요.

◉ 평행선에서 각도 구하기

각 ▲의 크기를 구해 볼까요?

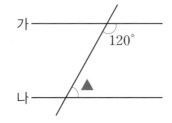

가와 나는 서로 평행이야.

활동 1 삼각형을 이용한 방법

☞ 삼각형이 되도록 수선을 그어요.

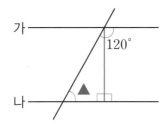

☞ 삼각형에서 ▲의 각도를 구해요.

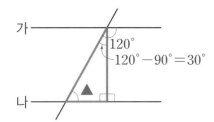

$120° - 90° = 30°$

삼각형의 세 각의 크기의 합은 180°이므로
▲ $= 180° - 30° - 90°$
$= 60°$예요.

활동 2 사각형을 이용한 방법

☞ 사각형이 되도록 수선을 그어요.

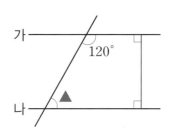

☞ 사각형에서 ▲의 각도를 구해요.

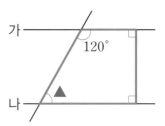

사각형의 네 각의 크기의 합은 360°이므로
▲ $= 360° - 120° - 90° - 90°$
$= 60°$예요.

해결 방법 확인

직선 가와 나는 서로 평행합니다. ㉠의 각도를 구하세요.

1-1

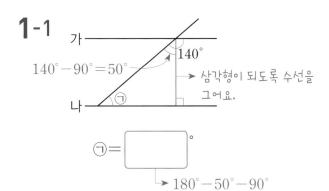

$140° - 90° = 50°$

→ 삼각형이 되도록 수선을 그어요.

㉠ = [ ]°

→ $180° - 50° - 90°$

1-2

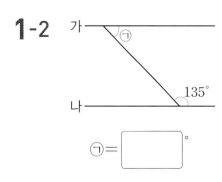

㉠ = [ ]°

1-3

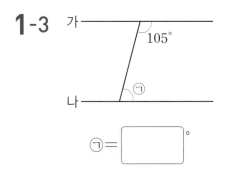

㉠ = [ ]°

1-4

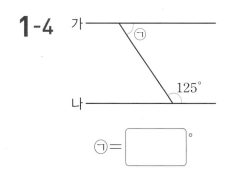

㉠ = [ ]°

1-5

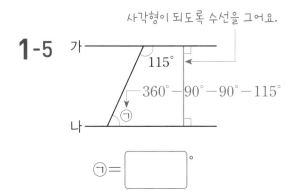

사각형이 되도록 수선을 그어요.

$360° - 90° - 90° - 115°$

㉠ = [ ]°

1-6

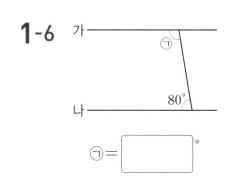

㉠ = [ ]°

도형 집중 연습

🍧 **직선 가와 나는 서로 평행합니다. ⊙의 각도를 구하세요.**

1-1

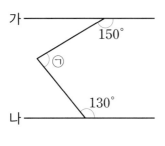

⊙ = ☐°

150° − 90° = 60°

> 초록색 사각형에서 ⊙의 각도를 구해 보세요.

1-2

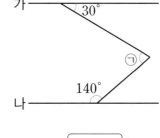

⊙ = ☐°

1-3

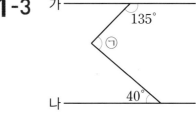

⊙ = ☐°

1-4

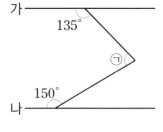

⊙ = ☐°

1-5

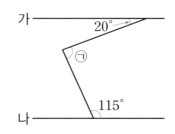

⊙ = ☐°

직선 가와 나는 서로 평행합니다. ㉠의 각도를 구하세요.

2-1

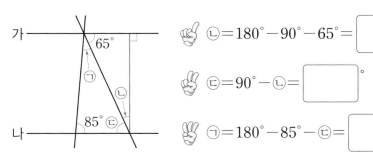

✌ ㉡ $= 180° - 90° - 65° = \boxed{}°$

✌ ㉢ $= 90° - ㉡ = \boxed{}°$

✌ ㉠ $= 180° - 85° - ㉢ = \boxed{}°$

✌, ✌, ✌의 순서에 따라 ㉠의 각도를 구해 보세요.

2-2

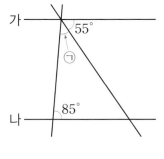

㉠ $= \boxed{}°$

2-3

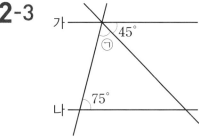

㉠ $= \boxed{}°$

2-4

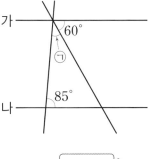

㉠ $= \boxed{}°$

2-5

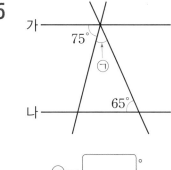

㉠ $= \boxed{}°$

4주
1일

크고 작은 사각형의 개수

 ## 오늘은 무엇을 공부할까요?

도형 기본 개념

● 크고 작은 마름모 찾아보기

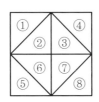

도형 2개, 4개, 8개로 이루어진 마름모를 찾아봐요.

┌─ 도형 2개(◩)로 이루어진 마름모: ①②, ③④, ⑤⑥, ⑦[❶] ⇨ 4개

├─ 도형 4개(◈)로 이루어진 마름모: ②③⑥⑦ ⇨ 1개

└─ 도형 8개(◈)로 이루어진 마름모: ①②③④⑤⑥⑦⑧ ⇨ 1개

⇨ 크고 작은 마름모는 모두 4+1+1=[❷] (개)입니다.

2 크고 작은 사각형의 개수

🐻 **활동**을 통하여 **해결 방법**을 알아보아요.

◉ 크고 작은 사다리꼴 찾아보기

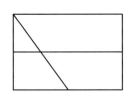

평행한 변이 있는
사각형을 모두 찾아봐요.

👆 1칸짜리 사다리꼴 찾아보기

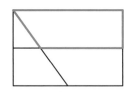 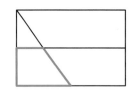 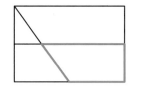

➡ 3개

✌ 2칸짜리 사다리꼴 찾아보기

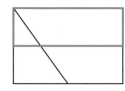 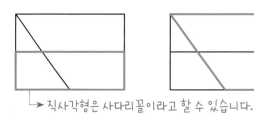

➡ 3개

└→ 직사각형은 사다리꼴이라고 할 수 있습니다.

🤟 3칸짜리 사다리꼴 찾아보기

3칸짜리 사다리꼴은 찾을 수 없습니다. ➡ 0개

✋ 4칸짜리 사다리꼴 찾아보기

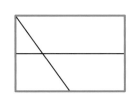

➡ 1개

➡ 주어진 도형에서 찾을 수 있는 크고 작은 사다리꼴은 모두 3+3+1=7(개)입니다.

1-1 그림에서 찾을 수 있는 크고 작은 사다리꼴은 모두 몇 개인지 구하세요.

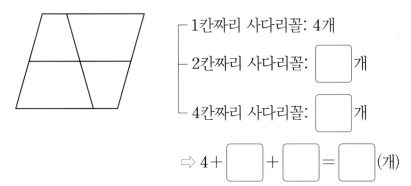

1칸짜리 사다리꼴: 4개

2칸짜리 사다리꼴: ☐ 개

4칸짜리 사다리꼴: ☐ 개

⇨ 4 + ☐ + ☐ = ☐ (개)

평행한 변이 한 쌍이라도 있는 사각형을 찾아봐요.

→ 마주 보는 두 쌍의 변이 서로 평행한 사각형

1-2 그림에서 찾을 수 있는 크고 작은 **평행사변형**은 모두 몇 개인지 구하세요.

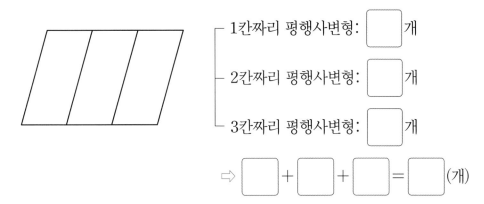

1칸짜리 평행사변형: ☐ 개

2칸짜리 평행사변형: ☐ 개

3칸짜리 평행사변형: ☐ 개

⇨ ☐ + ☐ + ☐ = ☐ (개)

→ 네 변의 길이가 모두 같은 사각형

1-3 그림에서 찾을 수 있는 크고 작은 **마름모**는 모두 몇 개인지 구하세요.

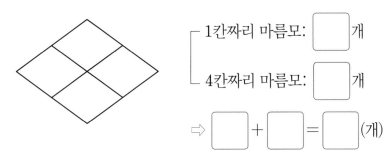

1칸짜리 마름모: ☐ 개

4칸짜리 마름모: ☐ 개

⇨ ☐ + ☐ = ☐ (개)

도형 집중 연습

🍮 그림에서 찾을 수 있는 크고 작은 사다리꼴은 모두 몇 개인지 구하세요.

1-1

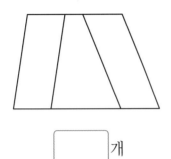

☐ 개

1-2

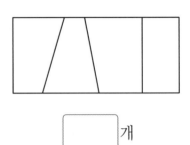

☐ 개

1-3

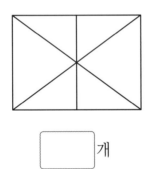

☐ 개

1-4

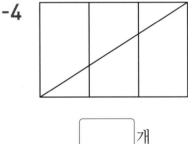

☐ 개

🍮 그림에서 찾을 수 있는 크고 작은 평행사변형은 모두 몇 개인지 구하세요.

2-1

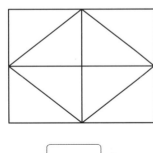

☐ 개

2-2

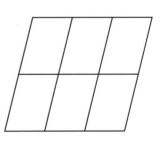

☐ 개

정삼각형을 이용하여 만든 도형입니다. 색칠된 정삼각형을 포함하는 마름모는 모두 몇 개 찾을 수 있는지 구하세요.

3-1

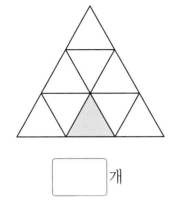

[　　　]개

3-2

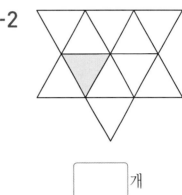

[　　　]개

정삼각형을 이용하여 만든 도형에서 찾을 수 있는 크고 작은 마름모는 모두 몇 개인지 구하세요.

4-1

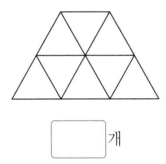

[　　　]개

4-2

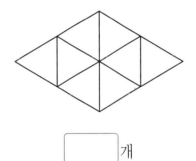

[　　　]개

4-3

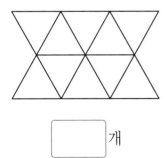

[　　　]개

4-4

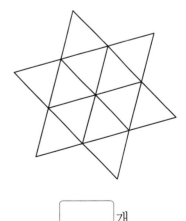

[　　　]개

4주
2일

접은 모양에서 각도 구하기

 ## 오늘은 무엇을 공부할까요?

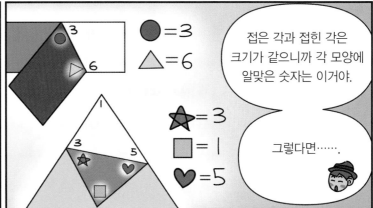

4주

3일

도형 기본 개념

● **직사각형 모양의 종이를 접었을 때 생기는 각의 크기**

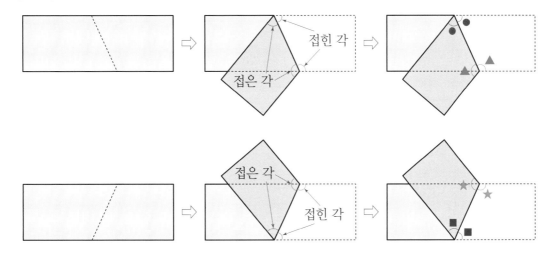

⇨ 직사각형 모양의 종이를 접었을 때 (접은 각의 크기)＝(접힌 각의 크기)입니다.

3^일 접은 모양에서 각도 구하기

 활동을 통하여 **해결 방법**을 알아보아요.

○ 직사각형 모양의 종이를 접었을 때 생기는 각의 크기 구하기

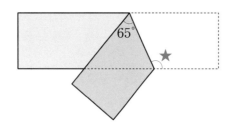

직사각형 모양의 종이를 접었을 때 생기는 각 ★의 크기를 구해 봐요.

 종이를 접었을 때 크기가 같은 각 알아보기

종이를 접어서 생기는 각과 크기가 같은 각을 알아볼까요?

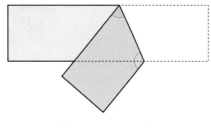

〈종이를 접었을 때〉

⇨

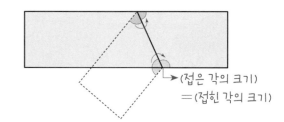

(접은 각의 크기)
= (접힌 각의 크기)

〈접은 종이를 펼쳤을 때〉

✌ 각 ★의 크기 구하기

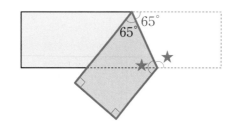

파란색 사각형에서 각 ★의 크기를 구합니다.

$$★ = 360° - 65° - 90° - 90°$$
$$= 115°$$

해결 방법 짚어 보기

• 직사각형 모양의 종이를 접었을 때 생기는 각의 크기 구하기

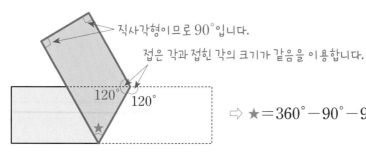

직사각형이므로 90°입니다.

접은 각과 접힌 각의 크기가 같음을 이용합니다.

⇨ ★ = 360° - 90° - 90° - 120° = 60°

🐸 다음과 같이 직사각형 모양의 종이를 접었습니다. ㉠의 각도를 구하세요.

1-1

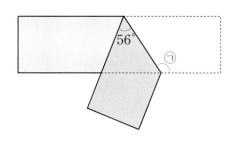

56°

㉠

㉠ = ☐ °

1-2

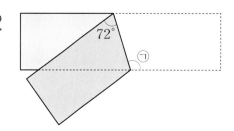

72°

㉠

㉠ = ☐ °

1-3

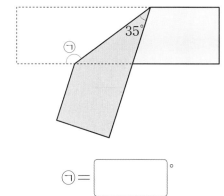

35°

㉠

㉠ = ☐ °

1-4

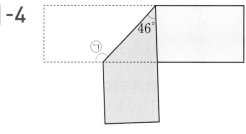

46°

㉠

㉠ = ☐ °

1-5

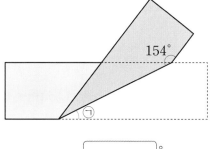

154°

㉠

㉠ = ☐ °

1-6

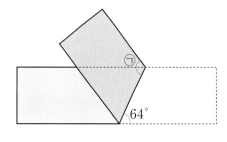

㉠

64°

㉠ = ☐ °

4주
3일

도형 집중 연습

다음과 같이 정삼각형 모양의 종이를 접었습니다. ㉠의 각도를 구하세요.

1-1

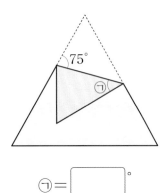

정삼각형의 세 각은 각각 60°이고 접은 각과 접힌 각의 크기는 같아요.

㉠ = [　　]°

1-2

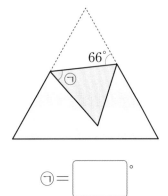

㉠ = [　　]°

1-3

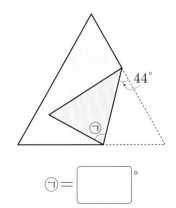

㉠ = [　　]°

1-4

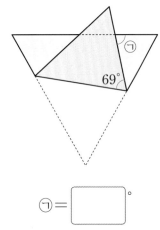

㉠ = [　　]°

1-5

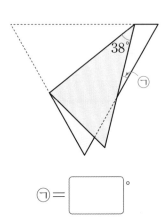

㉠ = [　　]°

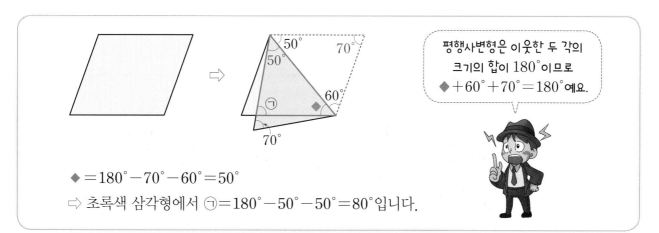

다음과 같이 평행사변형 모양의 종이를 접었습니다. ㉠의 각도를 구하세요.

평행사변형은 이웃한 두 각의
크기의 합이 180°이므로
◆＋60°＋70°＝180°예요.

◆＝180°−70°−60°＝50°

➡ 초록색 삼각형에서 ㉠＝180°−50°−50°＝80°입니다.

2-1

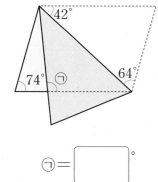

㉠＝ [ ]°

2-2

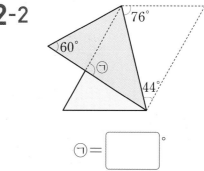

㉠＝ [ ]°

2-3

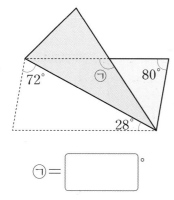

㉠＝ [ ]°

2-4

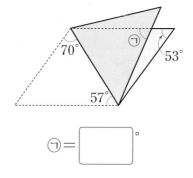

㉠＝ [ ]°

4일 정다각형을 이어 붙인 모양

🐻 **오늘은 무엇을 공부**할까요?

도형 기본 개념

● **다각형**: 선분으로만 둘러싸인 도형

삼각형 사각형 오각형

→ 곡선이 있으므로 다각형이 아닙니다.

→ 선분으로 완전히 둘러싸여 있지 않으므로 다각형이 아닙니다.

● **정다각형**: 변의 길이가 모두 같고 각의 크기가 모두 같은 다각형

정사각형 정오각형 정육각형

→ 각의 크기는 모두 같지만 변의 길이가 모두 같지 않습니다.

→ 변의 길이는 모두 같지만 각의 크기가 모두 같지 않습니다.

4주 – 사각형, 다각형 • **153**

정다각형을 이어 붙인 모양

 활동을 통하여 **해결 방법**을 알아보아요.

○ 만든 모양에서 빨간색 선의 길이 구하기

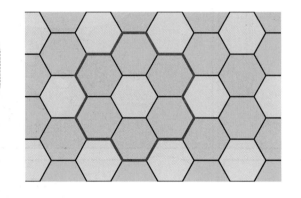

한 변의 길이가 1 cm인 정육각형을 이어 붙여 만든 모양이에요.

빨간색 선의 길이를 구해 볼까요?

 빨간색 선은 1 cm인 변이 몇 개 있는지 알아보기

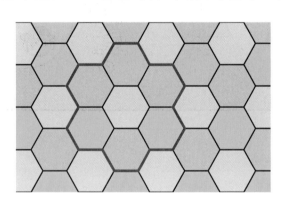

(빨간색 선의 길이)=(1 cm인 변 18개의 길이)

 빨간색 선의 길이 구하기

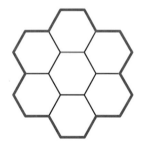

빨간색 선의 길이는 이 모양의 둘레와 같아.

도형의 테두리나 가장 자리를 한 바퀴 돈 길이를 둘레라고 해.

(빨간색 선의 길이)=(1 cm인 변 18개의 길이)
=18 cm

한 변의 길이가 1 cm인 정다각형을 이어 붙여 여러 가지 모양을 만들었습니다. 빨간색 선의 길이를 구하세요.

1-1

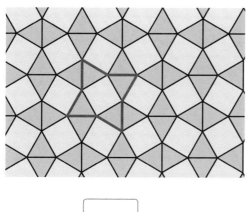

◻ cm

1-2

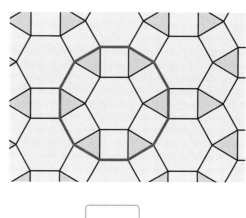

◻ cm

1-3

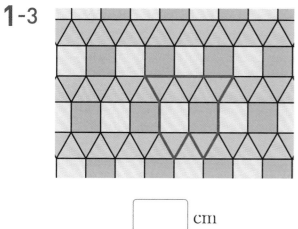

◻ cm

1-4

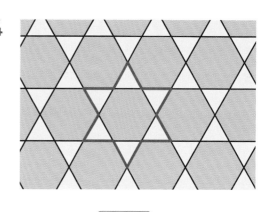

◻ cm

1-5

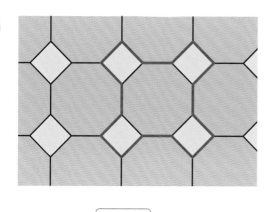

◻ cm

1-6

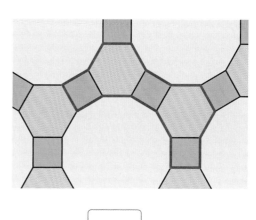

◻ cm

4일 정다각형을 이어 붙인 모양

(도형 집중 연습)

다음은 한 변의 길이가 2 cm인 정다각형을 규칙에 따라 겹치지 않게 이어 붙인 것입니다. 정다각형을 10개 이어 붙인 도형의 둘레를 구하세요.

1-1 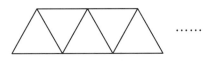 ......

cm

1-2 ......

cm

1-3 ......

cm

1-4 ......

cm

1-5 ......

cm

1-6 ......

cm

다음은 한 변의 길이가 3 cm인 정다각형 2가지를 규칙에 따라 겹치지 않게 이어 붙인 것입니다.
보기와 같이 정다각형을 각각 8개씩 이어 붙여 만든 도형의 둘레를 구하세요.

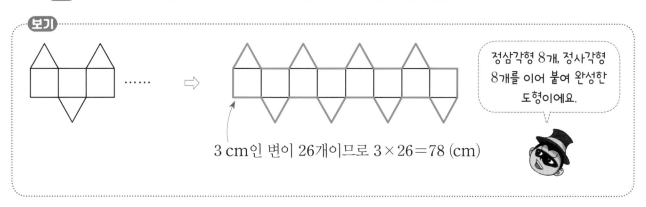

보기

3 cm인 변이 26개이므로 3×26=78 (cm)

정삼각형 8개, 정사각형 8개를 이어 붙여 완성한 도형이에요.

2-1

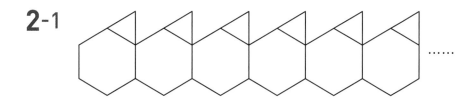

......

☐ cm

2-2

......

☐ cm

2-3

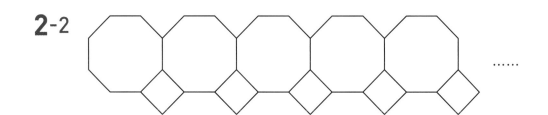

......

☐ cm

5^일 정다각형에서 각도 구하기

 오늘은 무엇을 공부할까요?

도형 기본 개념

● **정다각형에서의 각도 알아보기**

도형	▶정삼각형	▶정사각형	▶정오각형	▶정육각형
한 각의 크기	60°	90°	108°	120°
모든 각의 크기의 합	180°	❶ ___° ▶ $180° \times 2$	❷ ___° ▶ $180° \times 3$	720° ▶ $180° \times 4$

 정다각형은 각의 크기가 각각 모두 같아요.

정답 ❶ 360 ❷ 540

정다각형에서 각도 구하기

 활동을 통하여 **해결 방법**을 알아보아요.

◉ 정오각형의 한 각의 크기 구하기

정다각형은 변의 길이가 모두 같고 각의 크기도 모두 같아요.

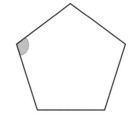

정오각형에서 5개의 각의 크기는 모두 같음을 알고 정오각형의 한 각의 크기를 구해봐요.

활동 1 삼각형을 이용한 방법

☞ 정오각형을 삼각형 3개로 나눕니다.

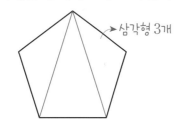

→ 삼각형 3개

✌ (정오각형의 모든 각의 크기의 합)
$$= 180° \times 3 = 540°$$
└→ 삼각형의 세 각의 크기의 합

✌ 정오각형의 한 각의 크기 구하기

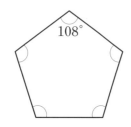

(정오각형의 한 각의 크기)
$$= 540° \div 5 = 108°$$
└→ 정오각형의 모든 각의 크기의 합

활동 2 삼각형과 사각형을 이용한 방법

☞ 정오각형을 삼각형 1개와 사각형 1개로 나눕니다.

삼각형 1개 ←

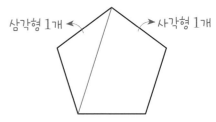

→ 사각형 1개

✌ (정오각형의 모든 각의 크기의 합)
$$= 180° + 360° = 540°$$
└→ 사각형의 네 각의 크기의 합
└→ 삼각형의 세 각의 크기의 합

✌ 정오각형의 한 각의 크기 구하기

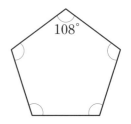

(정오각형의 한 각의 크기)
$$= 540° \div 5 = 108°$$

해결 방법 확인

🐣 다음은 정다각형입니다. ㉠의 각도를 구하세요.

1-1

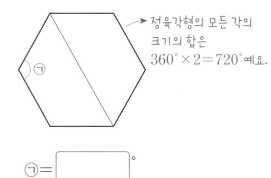

→ 정육각형의 모든 각의 크기의 합은 $360° \times 2 = 720°$ 예요.

㉠ = [　　　　]°

1-2

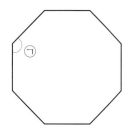

㉠ = [　　　　]°

1-3

㉠ = [　　　　]°

1-4

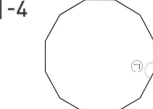

㉠ = [　　　　]°

1-5

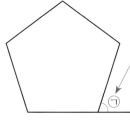

일직선은 $180°$ 이니까 $180°$ 에서 정오각형의 한 각의 크기를 빼서 구해요.

㉠ = [　　　　]°

1-6

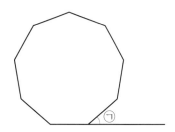

㉠ = [　　　　]°

정다각형에서 각도 구하기

도형 집중 연습

정다각형을 겹치지 않게 이어 붙인 것입니다. ㉠의 각도를 구하세요.

1-1

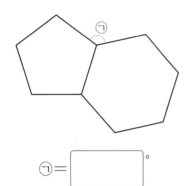

360°에서 정오각형의 한 각의 크기와 정육각형의 한 각의 크기를 빼어 봐요.

㉠ = ⬚ °

1-2

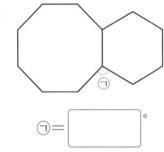

㉠ = ⬚ °

1-3

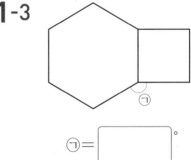

㉠ = ⬚ °

1-4

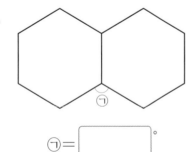

㉠ = ⬚ °

1-5

㉠ = ⬚ °

다음은 정다각형에 대각선을 그은 것입니다. ㉠의 각도를 구하세요.

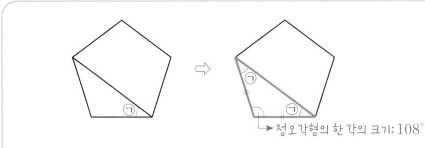

정오각형의 변의 길이는 모두 같으므로 초록색 삼각형은 이등변삼각형이 돼요.

→ 정오각형의 한 각의 크기: $108°$

⇨ 초록색 삼각형에서 $㉠+㉠=180°-108°=72°$, $㉠=72°÷2=36°$

2-1

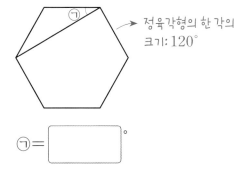

정육각형의 한 각의 크기: $120°$

㉠ = ☐°

2-2

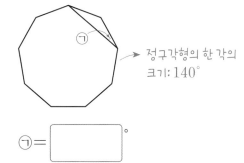

정구각형의 한 각의 크기: $140°$

㉠ = ☐°

2-3

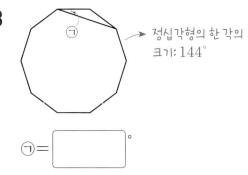

정십각형의 한 각의 크기: $144°$

㉠ = ☐°

2-4

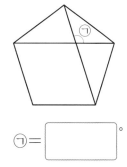

㉠ = ☐°

2-5

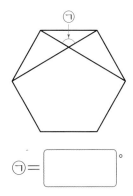

㉠ = ☐°

2-6

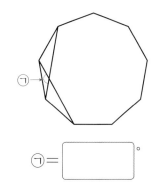

㉠ = ☐°

4주

5일

누구나 100점 맞는 TEST

01 직선 가와 나는 서로 평행합니다. ㉠의 각도를 구하세요.

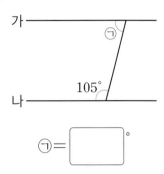

㉠ = [   ]°

02 직선 가와 나는 서로 평행합니다. ㉠의 각도를 구하세요.

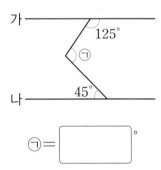

㉠ = [   ]°

03 그림에서 찾을 수 있는 크고 작은 사다리꼴은 모두 몇 개인지 구하세요.

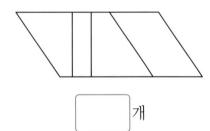

[   ]개

04 정삼각형을 이용하여 만든 도형입니다. 색칠한 삼각형을 포함하는 마름모는 모두 몇 개인지 구하세요.

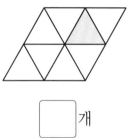

[   ]개

05 다음과 같이 직사각형 모양의 종이를 접었습니다. ㉠의 각도를 구하세요.

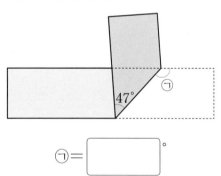

㉠ = [   ]°

06 다음과 같이 정삼각형 모양의 종이를 접었습니다. ㉠의 각도를 구하세요.

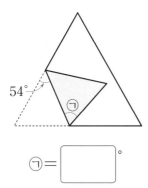

$54°$

㉠=
◯°

07 한 변의 길이가 2 cm인 정다각형을 이어 붙여 만든 모양입니다. 빨간색 선의 길이를 구하세요.

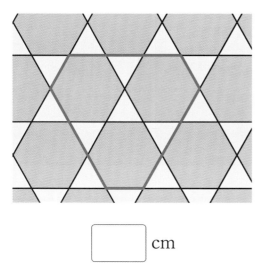

◯ cm

08 다음은 한 변의 길이가 3 cm인 정다각형을 규칙에 따라 겹치지 않게 이어 붙인 것입니다. 정다각형을 10개 이어 붙인 도형의 둘레를 구하세요.

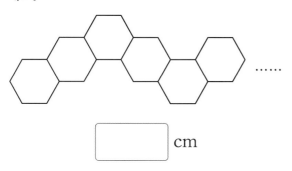

◯ cm

09 정다각형을 겹치지 않게 이어 붙인 것입니다. ㉠의 각도를 구하세요.

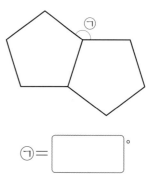

㉠=
◯°

10 정다각형에 대각선을 그은 것입니다. ㉠의 각도를 구하세요.

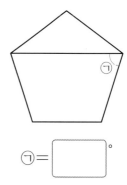

㉠=
◯°

정다각형 만들기

● **정다각형**: 변의 길이가 모두 같고, 각의 크기가 모두 같은 다각형

정다각형	△	□	⬠	⬡
변의 수(개)	3	4	5	6
각의 수(개)	3	4	5	6
이름	정삼각형	정사각형	정오각형	정육각형

 정다각형은 변의 수에 따라 정삼각형, 정사각형, 정오각형, 정육각형이라고 해요.

평면도형으로 빈틈없이 덮기

360°를 만들 수 있는 정다각형

한 가지 정다각형으로 테셀레이션을 만들려고 한다면 한 점에 모인 각의 크기의 합이 360°가 되어야 해요.

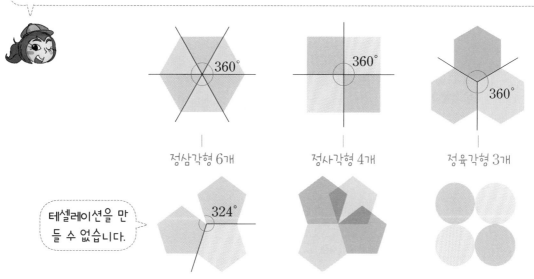

정삼각형 6개   정사각형 4개   정육각형 3개

테셀레이션을 만들 수 없습니다.

1 색종이를 다음과 같은 순서로 접어 보고 만들어진 정다각형의 이름을 쓰세요.

①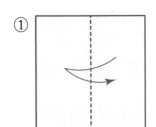

반으로 접고 펴서 가운데 선을 만들어요.

②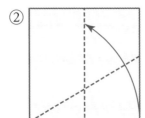

색종이의 한 쪽 끝을 가운데 선과 만나도록 접어요.

③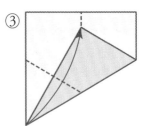

왼쪽 끝을 가운데 선과 만나게 접어요.

④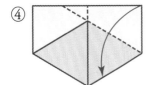

점선을 따라 오른쪽 위 꼭짓점이 아래로 오도록 접어요.

⑤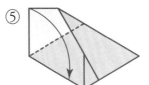

점선을 따라 왼쪽 위 꼭짓점이 아래로 오도록 접어요.

⑥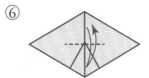

위아래의 꼭짓점을 맞추어 가운데 접은 자국을 만들어요.

⑦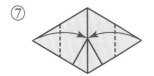

위아래를 접어서 생긴 중점에 양 옆의 꼭짓점을 맞추어 접어요.

⑧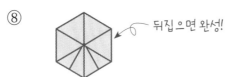

뒤집어요.

2 색종이를 다음과 같은 순서로 접어 보고 만들어진 정다각형의 이름을 쓰세요.

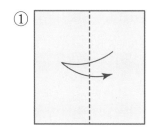

① 반으로 접고 펴서 가운데 선을 만들어요.

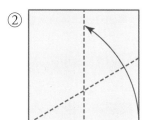

② 색종이의 한 쪽 끝을 가운데 선과 만나도록 접어요.

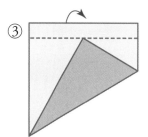

③ 점선을 따라 바깥쪽으로 접어요.

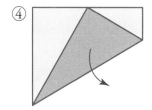

④ ②에서 접은 부분을 다시 펼쳐요.

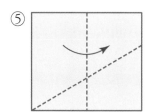

⑤ 세로로 반으로 접어요.

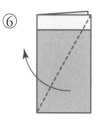

⑥ 점선을 따라 접어요.

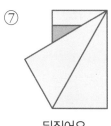

⑦ 뒤집어요.

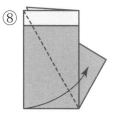

⑧ 같은 방법으로 점선을 따라 접어요.

⑨ 화살표 방향으로 펼쳐요.

겹치는 부분을 잘 정리해서 펼쳐요.

⑩ 완성!

테셀레이션을 이용한 무늬를 보고 이 무늬를 만들기 위한 기본 도형을 하나 찾아 색칠하세요.

③

 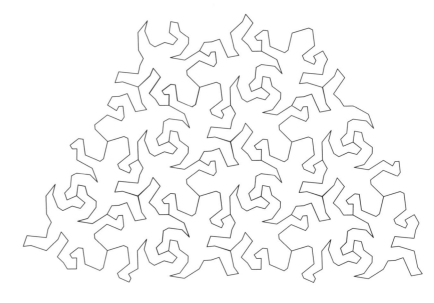

 테셀레이션은 도형을 이용하여 평면을 어떤 틈이나 쪼개짐 없이 완벽하게 덮는 것을 말해요.

④

 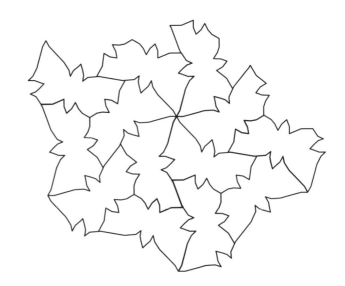

주어진 다각형을 이용하여 테셀레이션을 그려 보세요.

5

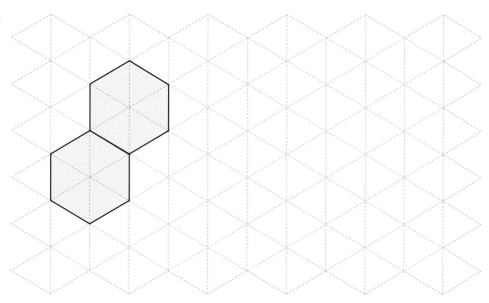

6

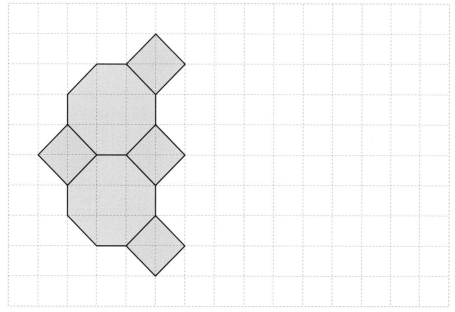

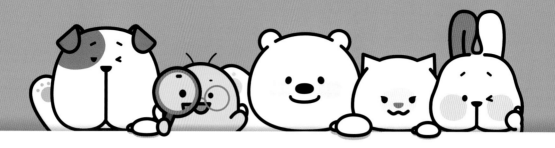

똑똑한 하루 시/리/즈

✖ 쉽다!

10분이면 하루 치 공부를 마칠 수 있는 커리큘럼으로,
아이들이 초등 학습에 쉽고 재미있게 접근할 수 있도록 구성하였습니다.

🧩 재미있다!

교과서는 물론 생활 속에서 쉽게 접할 수 있는 다양한 소재와
재미있는 게임 형식의 문제로 흥미로운 학습이 가능합니다.

📖 똑똑하다!

초등학생에게 꼭 필요한 학습 지식 습득은 물론
창의력 확장까지 가능한 교재로 올바른 공부습관을 가지는 데 도움을 줍니다.

정답과 풀이

똑똑한
하루
도형

초등
수학 **4**단계 4학년 수준

 천재교육

정답과 풀이
포인트 **3**가지

▶ 한눈에 알아볼 수 있는 정답 제시

▶ 혼자서도 이해할 수 있는 문제 풀이

▶ 꼭 필요한 풀이 제시

1주 | 평면도형의 이동(1)

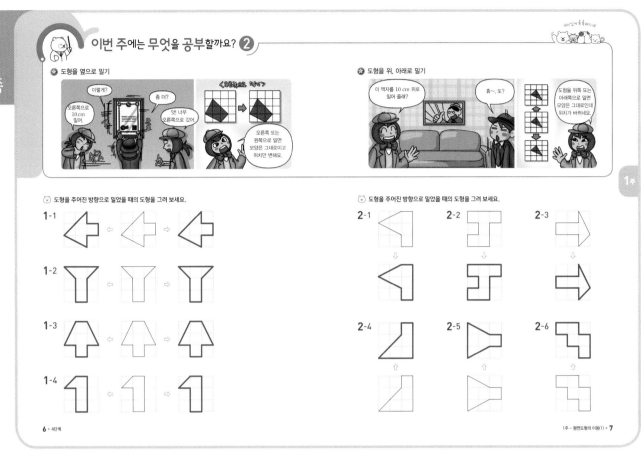

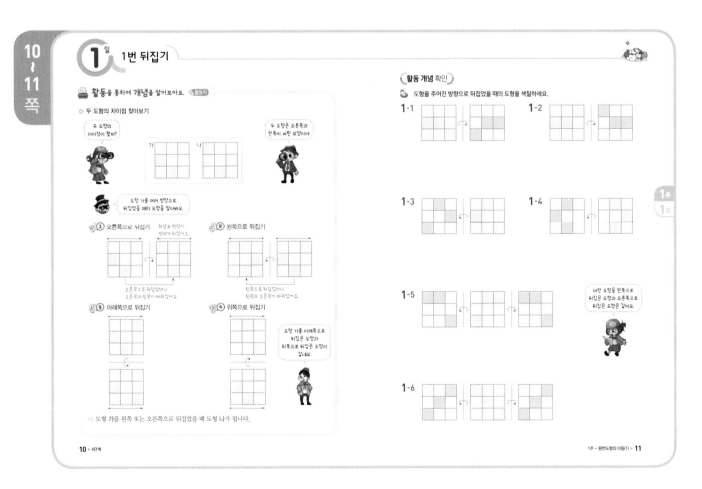

1일 1번 뒤집기

도형 집중 연습

도형을 주어진 방향으로 뒤집었을 때의 도형을 색칠하세요.

도형을 주어진 방향으로 뒤집었을 때의 알맞은 위치에 점을 찍으세요.

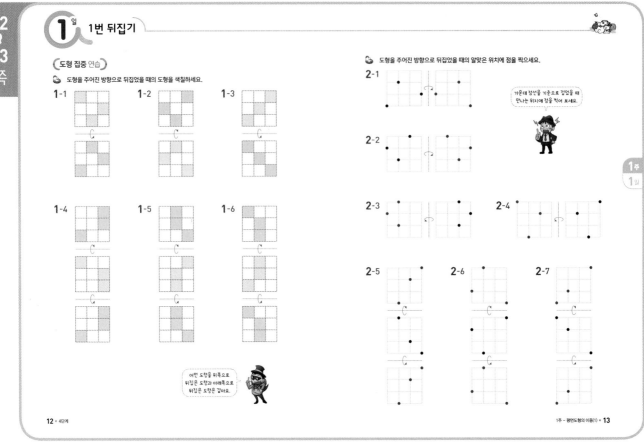

어떤 도형을 위쪽으로 뒤집은 도형과 아래쪽으로 뒤집은 도형은 같아요.

가운데 점선을 기준으로 접었을 때 만나는 위치에 점을 찍어 보세요.

2일 2번 뒤집기

활동을 통하여 개념을 알아보아요. 활동지

활동 개념 확인

◎ 2번 뒤집은 도형 알아보기

도형을 주어진 방향으로 2번 뒤집었을 때의 도형을 찾아 ○표 하세요.

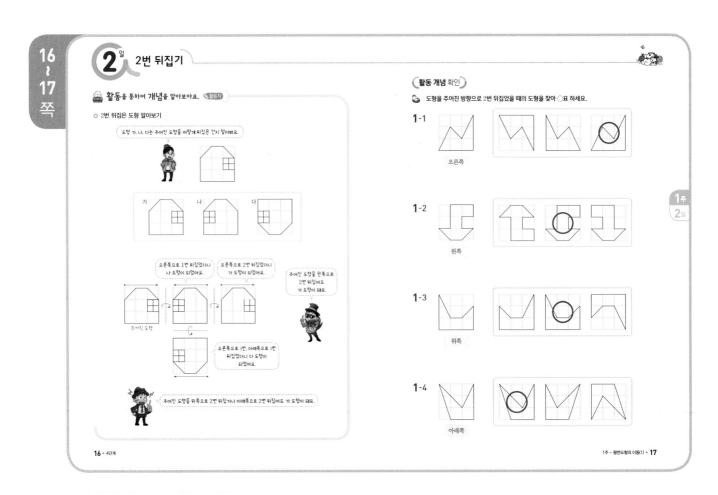

도형 가, 나, 다는 주어진 도형을 어떻게 뒤집은 건지 알아봐요.

오른쪽으로 1번 뒤집었더니 나 도형이 되었어요.

오른쪽으로 2번 뒤집었더니 가 도형이 되었어요.

주어진 도형을 밑으로 2번 뒤집어도 가 도형이 돼요.

오른쪽으로 1번, 아래쪽으로 1번 뒤집었더니 다 도형이 되었어요.

주어진 도형을 위쪽으로 2번 뒤집거나 아래쪽으로 2번 뒤집어도 가 도형이 돼요.

1-1 오른쪽

1-2 왼쪽

1-3 위쪽

1-4 아래쪽

2일 2번 뒤집기

(도형 집중 연습)

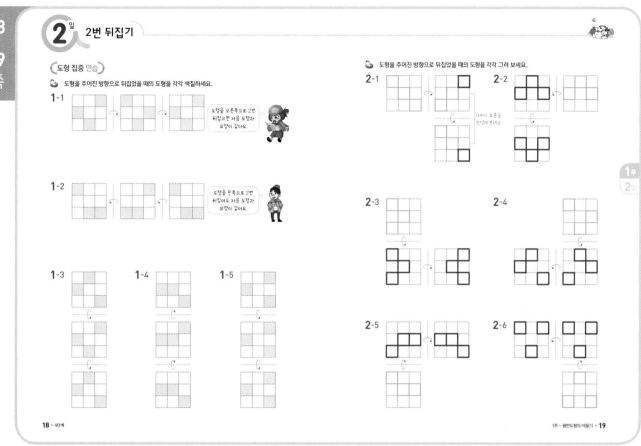

3일 거울에 비친 모양

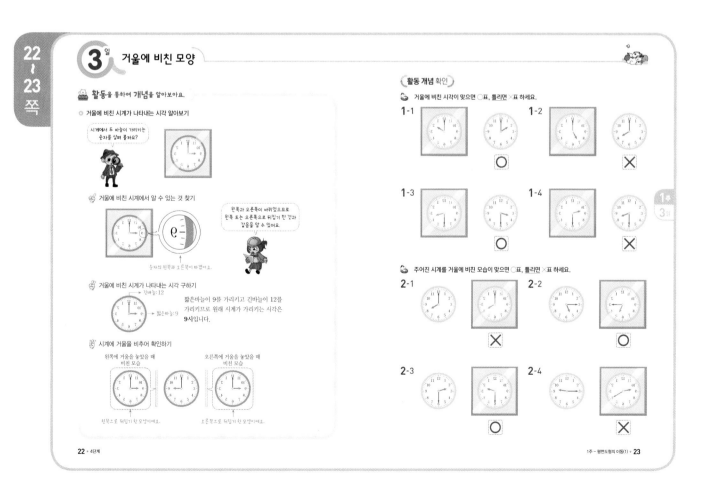

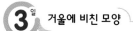

3일 거울에 비친 모양

(도형 집중 연습)

보기와 같이 주어진 그림을 거울에 비췄을 때의 모양을 그려 보세요.

보기

 1-1 1-2

1-3 1-4 1-5

1-6 1-7 1-8

보기와 같이 그림을 도장에 새겨 찍었을 때 나오는 모양을 그려 보세요.

 2-1

찍었을 때
나오는 모양

도장을 찍으면
오른쪽과 왼쪽이
바뀐 모양이 찍혀요.

2-2  2-3

2-4 2-5

2-6 2-7

1주
3일

4일 시계 방향으로 돌리기

(활동을 통하여 개념을 알아보아요)

(활동 개념 확인)

도형을 주어진 방향으로 돌렸을 때의 도형을 색칠하세요.

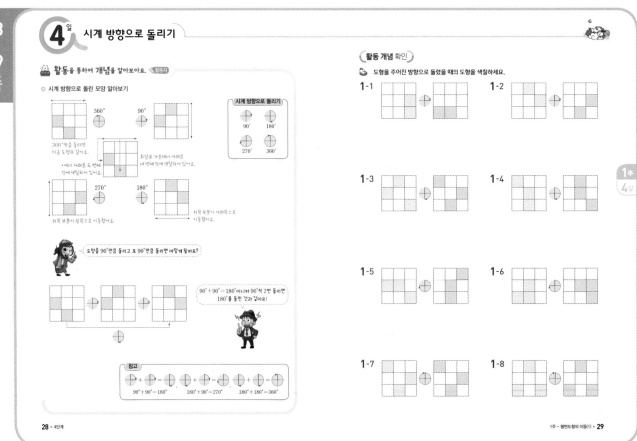

1주
4일

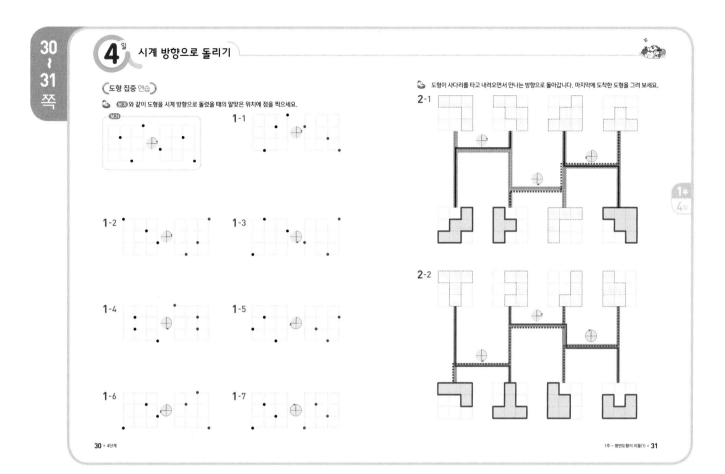

풀이

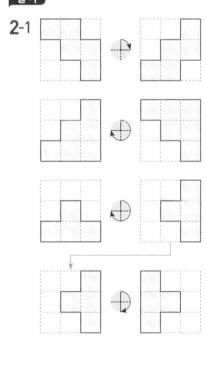

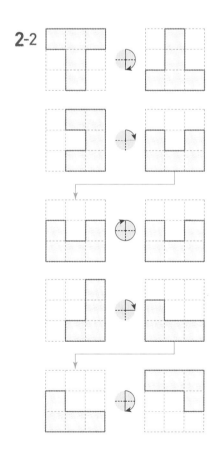

5일 시계 반대 방향으로 돌리기

활동을 통하여 해결 방법을 알아보아요.

◎ 퍼즐 조각 맞추기

퍼즐 조각을 어떻게 돌리면
빈 곳에 딱 맞을까요?

방법 1 퍼즐 조각을 시계 반대 방향으로 돌려서 맞추기

시계 반대 방향으로 90°만큼
돌려서 맞추면 딱 맞아요.

방법 2 퍼즐 조각을 시계 방향으로 돌려서 맞추기

시계 방향으로 270°만큼
돌려서 맞추면 딱 맞아요.

개념 집어 보기

· 화살표 끝이 가리키는 위치가 같으면 돌렸을 때의 모양이 서로 같습니다.

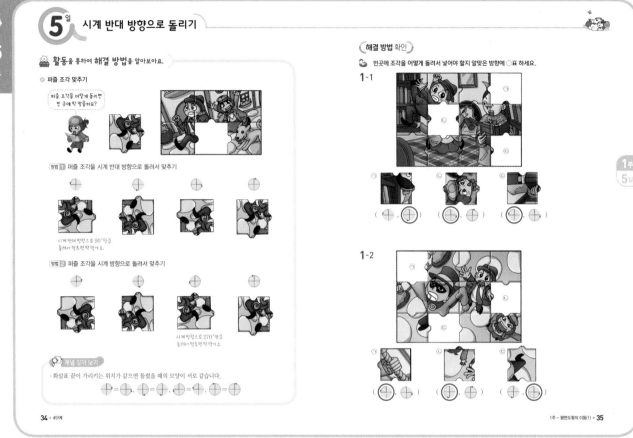

해결 방법 확인

빈곳에 조각을 어떻게 돌려서 넣어야 할지 알맞은 방향에 ○표 하세요.

1-1

1-2

5일 시계 반대 방향으로 돌리기

도형 집중 연습

도형을 주어진 방향으로 돌렸을 때의 도형을 그려 보세요.

1-1   1-2

1-3   1-4

1-5   1-6

1-7   1-8

도형을 주어진 방향으로 돌렸을 때의 도형을 그려 보세요.

2-1   2-2

2-3   2-4

2-5   2-6

2-7   2-8

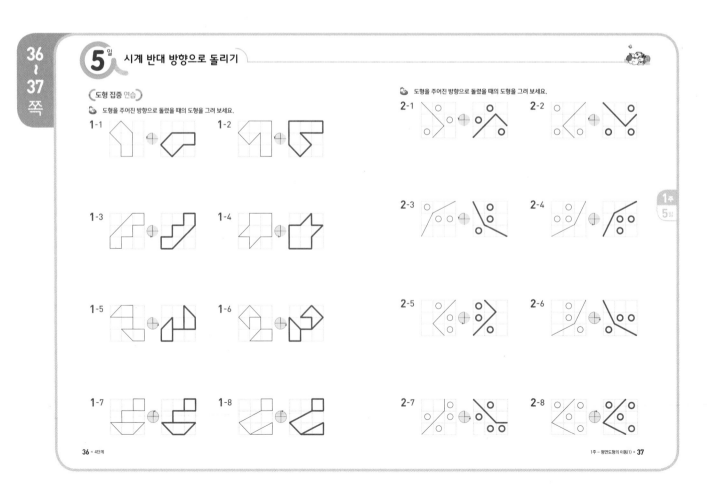

1주 평가 누구나 100점 맞는 TEST

맞은 개수
/10개

01 도형을 주어진 방향으로 뒤집었을 때의 도형을 색칠하세요.

02 도형을 주어진 방향으로 뒤집었을 때의 알맞은 위치에 점을 찍으세요.

03 도형을 주어진 방향으로 돌렸을 때의 도형을 색칠하세요.

04 도형을 주어진 방향으로 뒤집었을 때의 도형을 각각 색칠하세요.

05 도형을 오른쪽으로 2번 뒤집었을 때의 도형을 그려 보세요.

06 도형을 주어진 방향으로 돌렸을 때의 알맞은 위치에 점을 찍으세요.

[07~08] 도형을 주어진 방향으로 돌렸을 때의 도형을 그려 보세요.

07

08

09 주어진 시계를 거울에 비친 모습이 맞으면 ○표, 틀리면 ✕표 하세요.

10 도형을 주어진 방향으로 뒤집었을 때의 도형을 각각 그려 보세요.

풀이

01 오른쪽으로 뒤집으면 오른쪽과 왼쪽이 서로 바뀝니다.

02 왼쪽으로 뒤집으면 왼쪽과 오른쪽이 서로 바뀝니다.

03 시계 방향으로 90°만큼 돌리면 위쪽 → 오른쪽,
오른쪽 → 아래쪽, 아래쪽 → 왼쪽, 왼쪽 → 위쪽으로
바뀝니다.

04 어떤 도형을 같은 방향으로 2번 뒤집으면 처음과 같은
도형이 됩니다.

05 어떤 도형을 오른쪽으로 2번 뒤집으면 처음과 같은 도
형이 됩니다.

> **참고**
> 어떤 도형을 왼쪽으로 2번 뒤집어도 처음과 같은 도형이
> 됩니다.

06 시계 방향으로 270°만큼 돌린 도형은 시계 반대 방향으
로 90°만큼 돌린 도형과 같습니다.

07 시계 반대 방향으로 180°만큼 돌린 도형은 시계 방향으
로 180°만큼 돌린 도형과 같습니다.

08 시계 반대 방향으로 90°만큼 돌리면 위쪽 → 왼쪽,
왼쪽 → 아래쪽, 아래쪽 → 오른쪽, 오른쪽 → 위쪽으로
바뀝니다.

09 주어진 시계의 시각은 8시 15분이고 거울에 비친 시각
은 5시 15분이므로 다릅니다.

정답과 풀이 • 7

특강 창의·융합·코딩

융합
1 셀카로 사진을 찍으면 왼쪽과 오른쪽이 바뀐 모습이 나옵니다. 지우가 다음 그림을 들고 셀카를 찍었을 때 화면에 비친 도형을 그려 보세요.

 ⇨

> 화면에 비친 도형은
> 실제 도형과 왼쪽과
> 오른쪽이 바뀐 도형이에요.

⇨

융합
2 도형을 왼쪽으로 1번 뒤집었을 때의 도형을 각각 그려 보세요.

 ⇨

 ⇨

융합
3 강이나 호수에 비친 모습은 위쪽 또는 아래쪽으로 뒤집은 모습과 같습니다. 주어진 도형을 위쪽과 아래쪽으로 뒤집었을 때의 도형을 각각 그려 보세요.

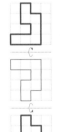

> 주어진 도형을 위쪽으로
> 뒤집은 도형과 아래쪽으로
> 뒤집은 도형이
> 같다는 걸 알 수 있어요.

특강 창의·융합·코딩

융합
4 종이의 왼쪽에 물감으로 그림을 그리고 점선을 따라 반으로 접었습니다. 종이의 오른쪽에 생기는 그림을 그려 보세요.

> 종이의 반쪽에 물감으로 그림을 그리고
> 반으로 접으면 좌우가 바뀐 그림이 반대편에
> 생기는 미술 표현 방법을 데칼코마니라고 해요.

창의
5 일요일 오후 한나는 낮잠을 자고 난 후 시계를 보았더니 7시 50분이었습니다. 깜짝 놀라 다시 보니 거울 속에 비친 시계를 보고 잘못 알았던 것입니다. 시계는 몇 시 몇 분을 가리키고 있을까요?

 ⇨

> 12를 기준으로 숫자를
> 쓰고 바늘을 그려 봐요.

[4]시[10]분

창의
6 성냥개비로 만든 집 모양입니다. 성냥개비 1개를 움직여서 왼쪽으로 1번 뒤집은 모양을 만들어 보세요. (단, 성냥개비의 방향은 생각하지 않습니다.)

 ⇨

창의
7 성냥개비로 만든 물고기 모양입니다. 성냥개비 3개를 움직여서 오른쪽으로 1번 뒤집은 모양을 만들어 보세요. (단, 성냥개비의 방향은 생각하지 않습니다.)

 ⇨

2주 | 평면도형의 이동(2)

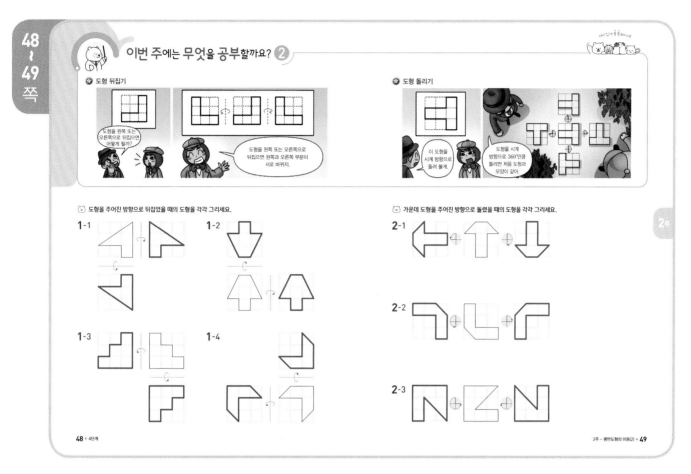

1일 뒤집고 돌리기

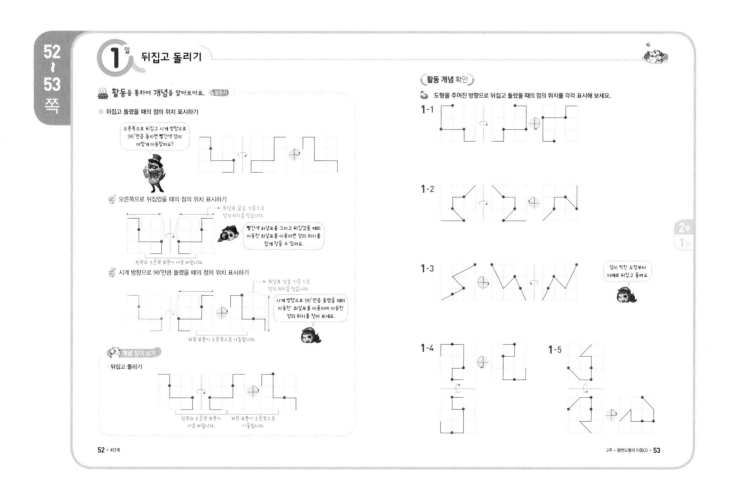

1^일 뒤집고 돌리기

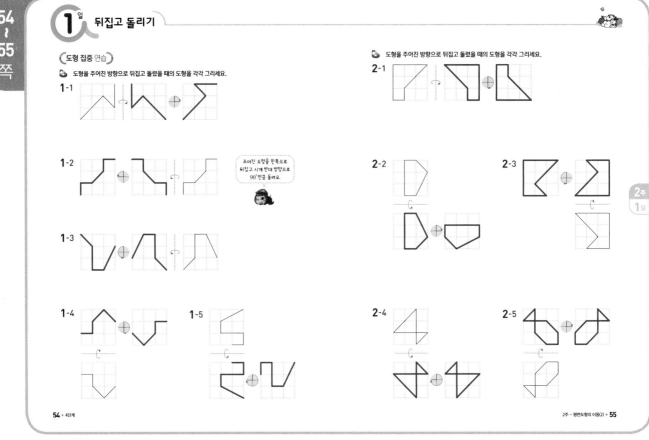

2^일 돌리고 뒤집기

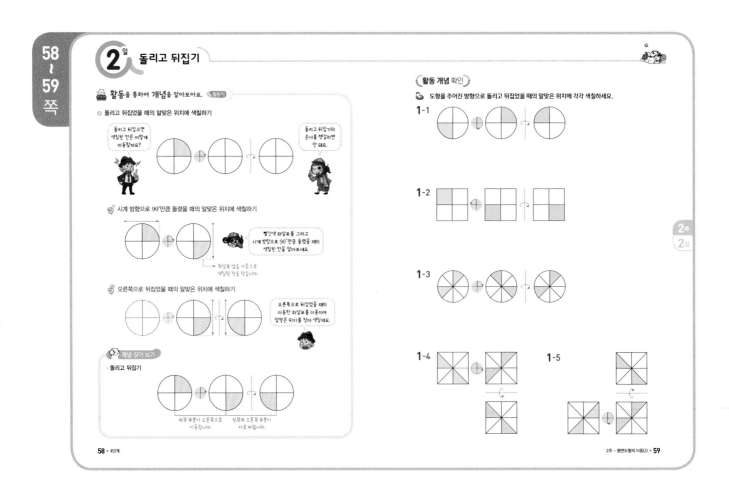

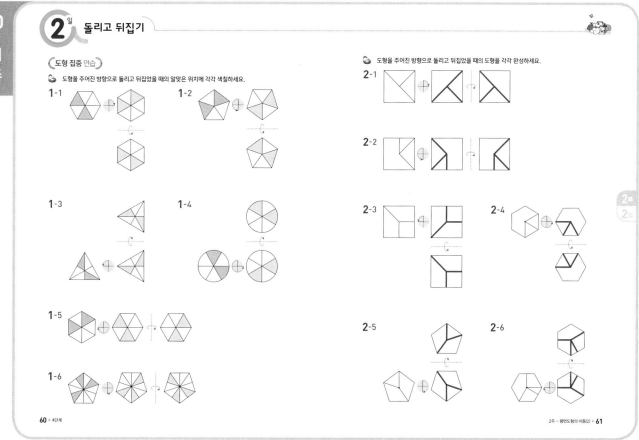

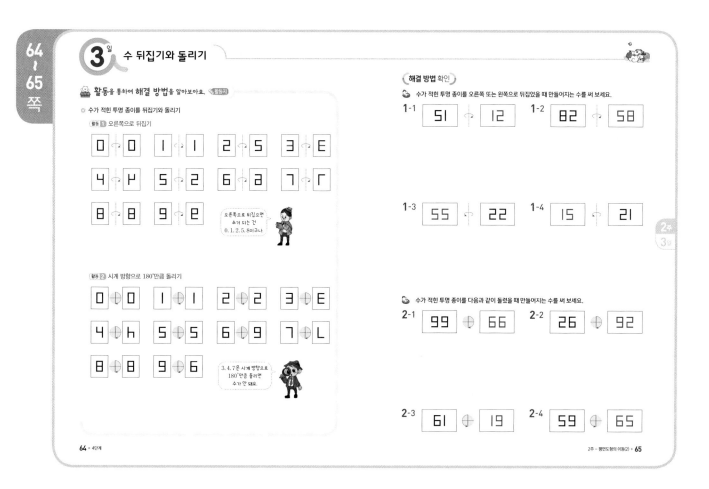

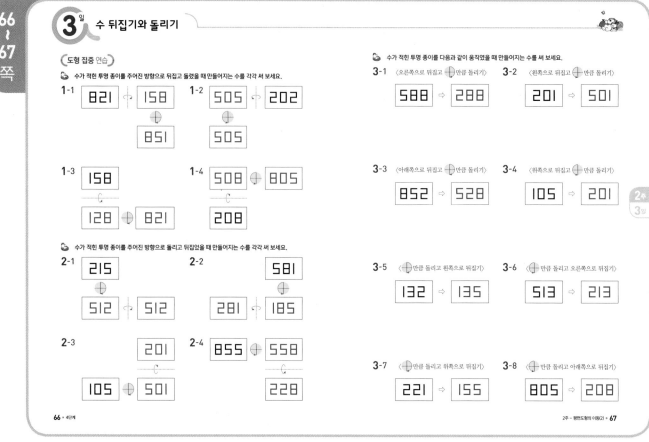

3 일 수 뒤집기와 돌리기

풀이

3-1 588 → (오른쪽으로 뒤집기) 882 → 288

3-2 201 → (왼쪽으로 뒤집기) 105 → 501

3-3 852 → (아래쪽으로 뒤집기) 825 → 528

3-4 105 → (위쪽으로 뒤집기) 102 → 201

3-5 132 → 2E1 → (왼쪽으로 뒤집기) 135

3-6 513 → E1S → (오른쪽으로 뒤집기) 213

3-7 221 → 122 → (위쪽으로 뒤집기) 155

3-8 805 → 508 → (아래쪽으로 뒤집기) 208

참고
- 도형을 위쪽 또는 아래쪽으로 뒤집기
  ⇨ 위쪽과 아래쪽 부분이 서로 바뀝니다.
- 도형을 왼쪽 또는 오른쪽으로 뒤집기
  ⇨ 왼쪽과 오른쪽 부분이 서로 바뀝니다.

주의
돌리기와 뒤집기의 순서를 바꾸어 움직이면 모양이 달라질 수 있으므로 순서에 맞게 움직입니다.

4일 연속하여 여러 번 움직이기

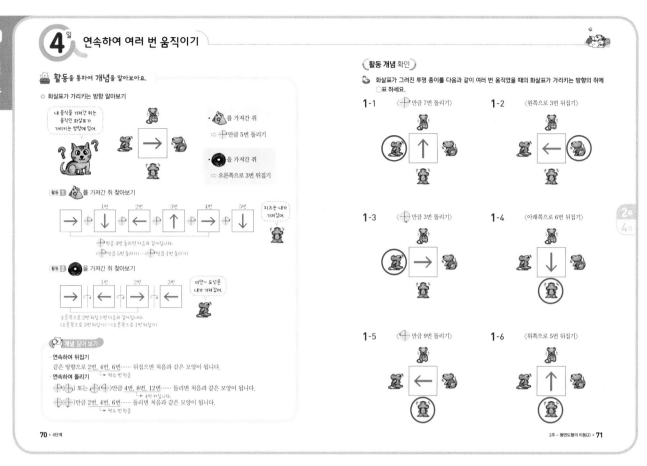

4일 연속하여 여러 번 움직이기

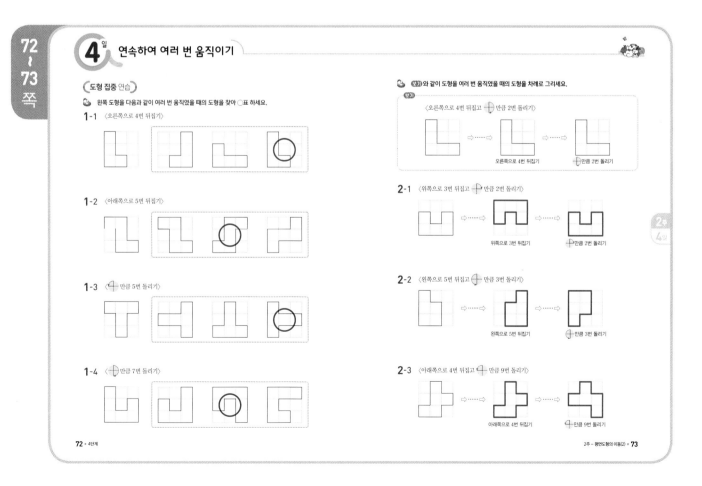

5 _일 움직이기 전 도형

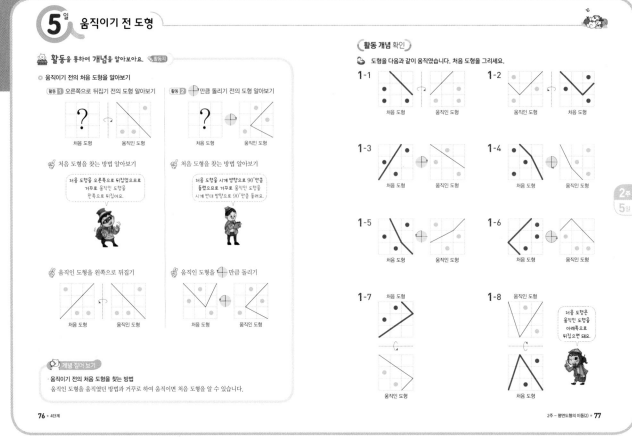

5 _일 움직이기 전 도형

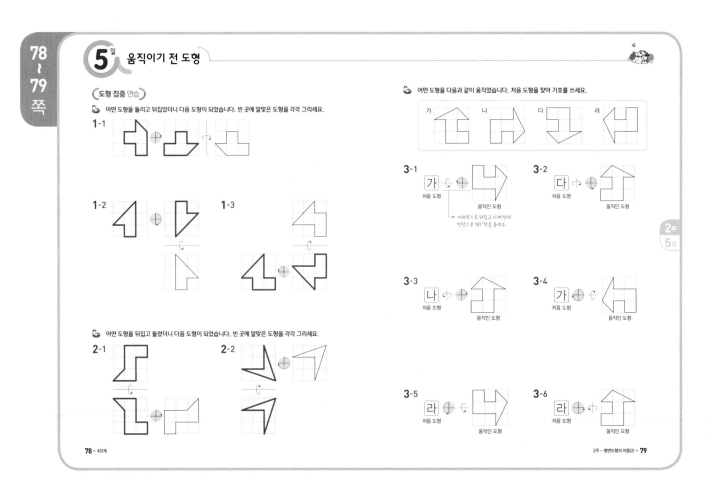

풀이

3-1 움직인 도형을 시계 방향으로 90°만큼 돌리고 위쪽으로 뒤집은 도형이 처음 도형입니다.

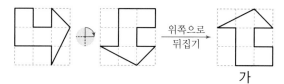

3-2 움직인 도형을 시계 반대 방향으로 180°만큼 돌리고 왼쪽으로 뒤집은 도형이 처음 도형입니다.

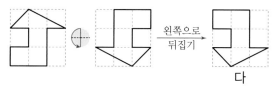

3-3 움직인 도형을 시계 반대 방향으로 90°만큼 돌리고 오른쪽으로 뒤집은 도형이 처음 도형입니다.

3-4 움직인 도형을 아래쪽으로 뒤집고 시계 반대 방향으로 270°만큼 돌린 도형이 처음 도형입니다.

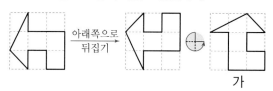

3-5 움직인 도형을 위쪽으로 뒤집고 시계 방향으로 180°만큼 돌린 도형이 처음 도형입니다.

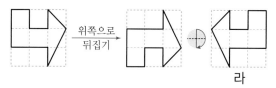

3-6 움직인 도형을 오른쪽으로 뒤집고 시계 방향으로 270°만큼 돌린 도형이 처음 도형입니다.

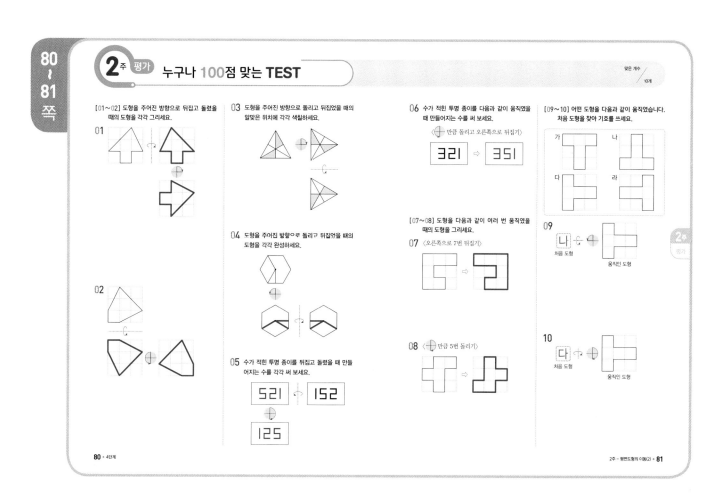

특강 창의·융합·코딩

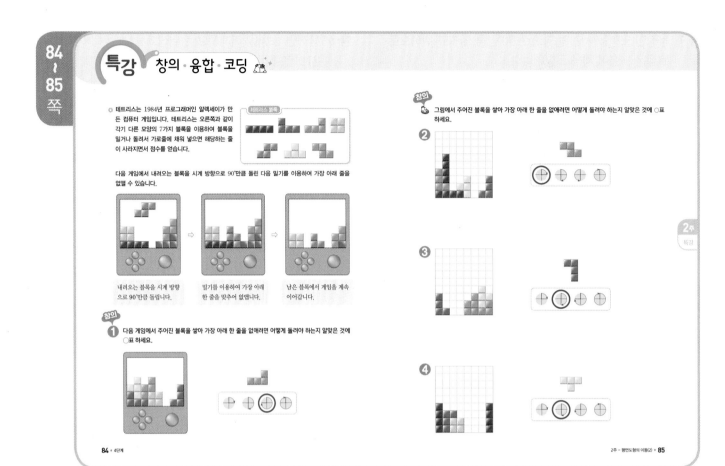

○ 테트리스는 1984년 프로그래머인 알렉세이가 만든 컴퓨터 게임입니다. 테트리스는 오른쪽과 같이 각기 다른 모양의 7가지 블록을 이용하여 블록을 밀거나 돌려서 가로줄에 채워 넣으면 해당하는 줄이 사라지면서 점수를 얻습니다.

테트리스 블록

다음 게임에서 내려오는 블록을 시계 방향으로 90°만큼 돌린 다음 밀기를 이용하여 가장 아래 줄을 없앨 수 있습니다.

내려오는 블록을 시계 방향으로 90°만큼 돌립니다. ⇨ 밀기를 이용하여 가장 아래 한 줄을 맞추어 없앱니다. ⇨ 남은 블록에서 게임을 계속 이어갑니다.

창의

1 다음 게임에서 주어진 블록을 쌓아 가장 아래 한 줄을 없애려면 어떻게 돌려야 하는지 알맞은 것에 ○표 하세요.

창의

그림에서 주어진 블록을 쌓아 가장 아래 한 줄을 없애려면 어떻게 돌려야 하는지 알맞은 것에 ○표 하세요.

2

3

4

특강 창의·융합·코딩

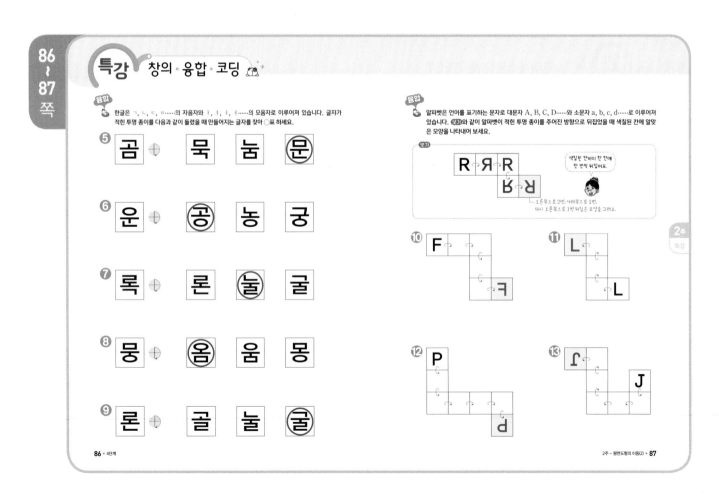

융합

한글은 ㄱ, ㄴ, ㄷ, ㄹ······의 자음자와 ㅏ, ㅑ, ㅓ, ㅕ······의 모음자로 이루어져 있습니다. 글자가 적힌 투명 종이를 다음과 같이 돌렸을 때 만들어지는 글자를 찾아 ○표 하세요.

5 곰 ⇨ 묵 눔 (문)

6 운 ⇨ (공) 농 궁

7 록 ⇨ 론 (눌) 굴

8 뭉 ⇨ (옴) 움 몽

9 론 ⇨ 골 눌 (굴)

융합

알파벳은 언어를 표기하는 문자로 대문자 A, B, C, D······와 소문자 a, b, c, d······로 이루어져 있습니다. 보기와 같이 알파벳이 적힌 투명 종이를 주어진 방향으로 뒤집을 때 색칠된 칸에 알맞은 모양을 나타내어 보세요.

보기

R ⇨ Я ⇨ R
    Я

색칠된 칸까지 한 칸에 한 번씩 뒤집어요.

오른쪽으로 2번, 아래쪽으로 1번. 다시 오른쪽으로 1번 뒤집은 모양을 그려요.

10 F ⇨ ㅋ

11 L ⇨ L

12 P ⇨ ㄹ

13 ㅓ ⇨ J

3주 | 각도·삼각형

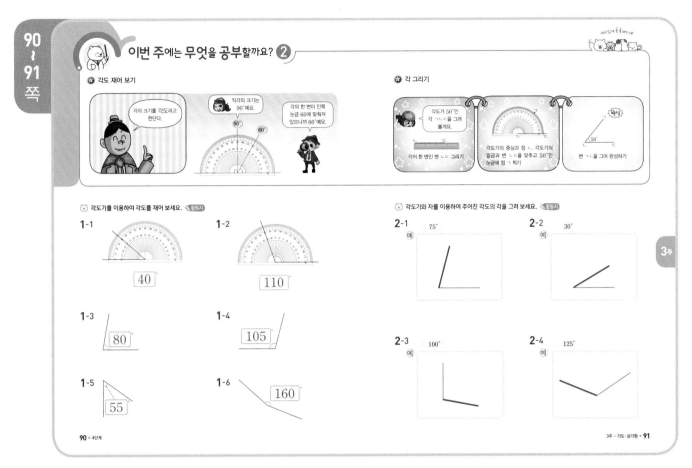

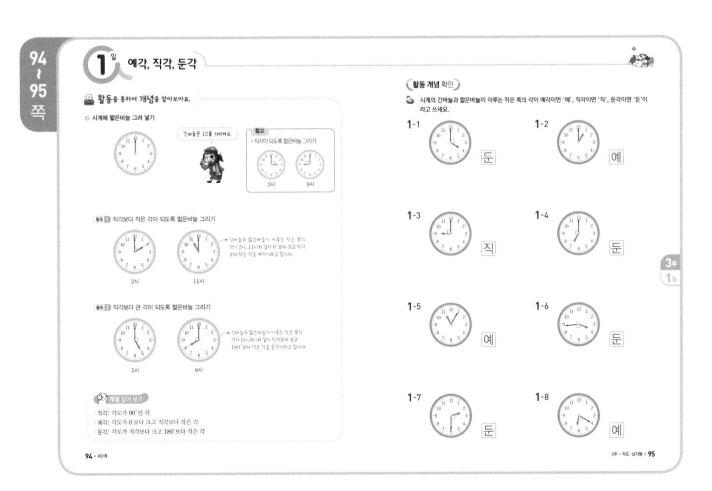

1^일 예각, 직각, 둔각

도형 집중 연습

주어진 각이 예각이면 '예', 둔각이면 '둔'이라고 쓰세요.

1-1
㉠: 예 . ㉡: 예

1-2
㉠: 예 . ㉡: 둔

1-3
㉠: 둔 . ㉡: 둔

1-4
㉠: 둔 . ㉡: 예

1-5
㉠: 둔 . ㉡: 예

1-6
㉠: 예 . ㉡: 둔

도형에서 찾을 수 있는 크고 작은 예각은 모두 몇 개인지 구하세요.

각 1개로 이루어진 예각과 각 2개로 이루어진 예각의 수를 모두 세어 보요.

2-1 3 개

2-2 6 개

2-3 8 개

2-4 6 개

2-5 9 개

2^일 삼각형의 세 각의 크기

활동을 통하여 개념을 알아보아요

삼각형 모양의 종이에서 남은 부분을 보고 잘린 한 각의 크기 구하기

 50° 70°

활동1 자와 각도기를 이용하여 잘린 한 각의 크기 구하기

   60°

삼각형의 왼쪽 변에 맞춰 직선을 긋습니다. / 삼각형의 오른쪽 변에 맞춰 직선을 긋고 삼각형을 완성합니다. / 각도기로 잘린 한 각의 크기를 재어 구합니다.

각도기로 읽으면 잘린 한 각의 크기는 60°예요.

활동2 삼각형의 세 각의 크기의 합을 이용하여 잘린 한 각의 크기 구하기

 ★　50° 70°
삼각형의 세 각의 크기의 합에서 나머지 두 각의 크기를 빼어 잘린 한 각의 크기를 구합니다.
⇨ ★ $= 180° - 50° - 70° = 60°$

개념 잡아 보기

· 삼각형에서 한 각의 크기를 구할 때에는 삼각형의 세 각의 크기의 합이 180°임을 이용합니다.

 100° 35°
⇨ ● $= 180° - 100° - 35° = 45°$

활동 개념 확인

보기와 같이 삼각형 모양의 종이에서 잘린 한 각의 크기를 구하세요.

보기 60° 40°
$180° - 60° - 40° = 80°$

1-1 110° 35°
$180° - 110° - 35° = $ 35

1-2 65° 70° 45°

1-3 40° 100° 40°

1-4 55° 75° 50°

1-5 20° 40° 120°

18 · 4단계

2 일 삼각형의 세 각의 크기

(도형 집중 연습)

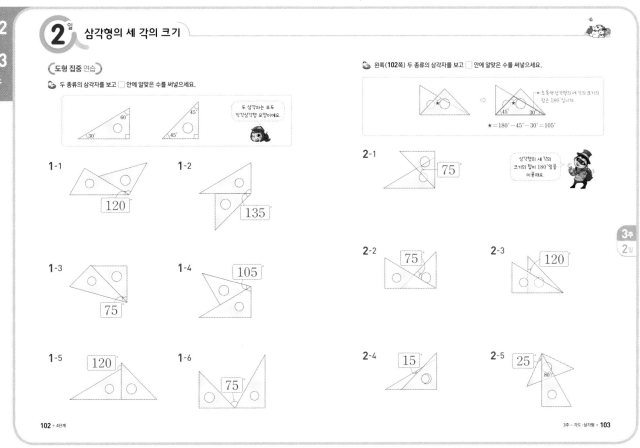

1-1 120

1-2 135

1-3 75

1-4 105

1-5 120

1-6 75

왼쪽(102쪽) 두 종류의 삼각자를 보고 ☐ 안에 알맞은 수를 써넣으세요.

2-1 75

2-2 75

2-3 120

2-4 15

2-5 25

3 일 예각삼각형, 둔각삼각형

활동을 통하여 개념을 알아보아요.

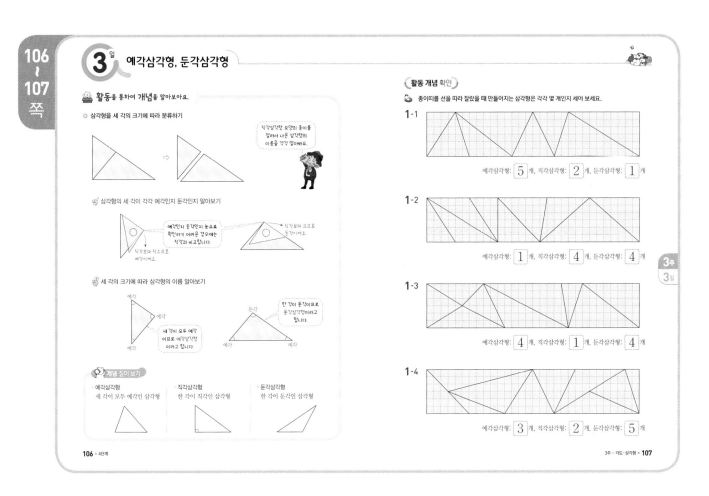

(활동 개념 확인)

종이띠를 선을 따라 잘랐을 때 만들어지는 삼각형은 각각 몇 개인지 세어 보세요.

1-1 예각삼각형: 5 개, 직각삼각형: 2 개, 둔각삼각형: 1 개

1-2 예각삼각형: 1 개, 직각삼각형: 4 개, 둔각삼각형: 4 개

1-3 예각삼각형: 4 개, 직각삼각형: 1 개, 둔각삼각형: 4 개

1-4 예각삼각형: 3 개, 직각삼각형: 2 개, 둔각삼각형: 5 개

3일 예각삼각형, 둔각삼각형

도형 집중 연습

그림에서 찾을 수 있는 크고 작은 예각삼각형은 모두 몇 개인지 구하세요.

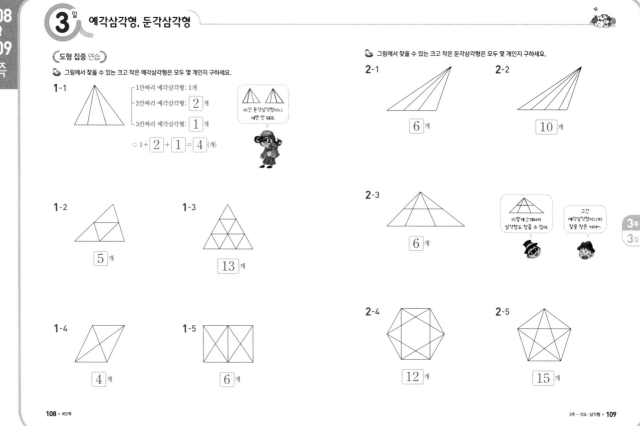

1-1
- 1칸짜리 예각삼각형: 1개
- 2칸짜리 예각삼각형: 2 개
- 3칸짜리 예각삼각형: 1 개

⇨ 1 + 2 + 1 = 4 (개)

이건 둔각삼각형이니 세면 안 돼요.

1-2 5 개

1-3 13 개

1-4 4 개

1-5 6 개

그림에서 찾을 수 있는 크고 작은 둔각삼각형은 모두 몇 개인지 구하세요.

2-1 6 개

2-2 10 개

2-3 6 개

이렇게 2칸짜리 삼각형도 찾을 수 있어.

그건 예각삼각형이니까 잘못 찾은 거야~

2-4 12 개

2-5 15 개

3주
3일

4일 이등변삼각형, 정삼각형

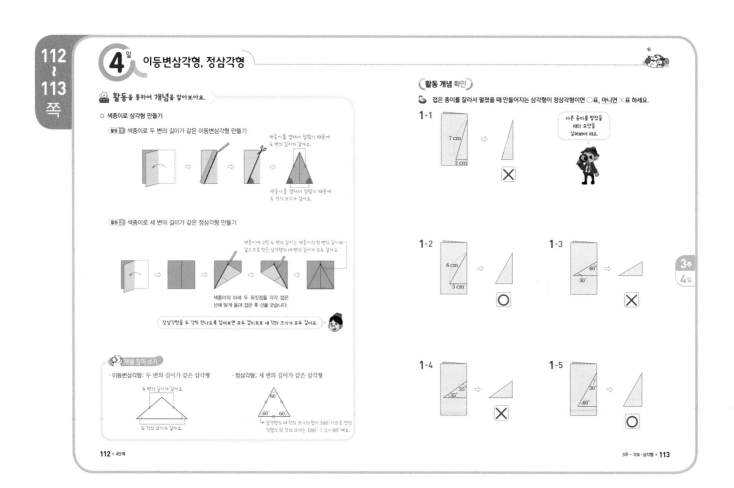

활동을 통하여 개념을 알아보아요.

◦ 색종이로 삼각형 만들기

활동 1 색종이로 두 변의 길이가 같은 이등변삼각형 만들기

색종이를 겹쳐서 잘랐기 때문에 두 변의 길이가 같아요.

색종이를 겹쳐서 잘랐기 때문에 두 각의 크기가 같아요.

활동 2 색종이로 세 변의 길이가 같은 정삼각형 만들기

색종이에 그린 두 변의 길이는 색종이의 한 변의 길이와 같으므로 만든 삼각형의 세 변의 길이가 모두 같아요.

색종이의 아래 두 꼭짓점을 각각 접은 선에 맞게 올려 접은 후 선을 긋습니다.

정삼각형을 두 각씩 만나도록 접어보면 모두 겹치므로 세 각의 크기가 모두 같아요.

개념 잡아 보기

· 이등변삼각형: 두 변의 길이가 같은 삼각형

두 변의 길이가 같아요.

두 각의 크기가 같아요.

· 정삼각형: 세 변의 길이가 같은 삼각형

60°
60° 60°

삼각형의 세 각의 크기의 합이 180°이므로 정삼각형의 한 각의 크기는 180° ÷ 3 = 60°예요.

활동 개념 확인

접은 종이를 잘라서 펼쳤을 때 만들어지는 삼각형이 정삼각형이면 ○표, 아니면 ✕표 하세요.

1-1
7 cm
2 cm
⇨ ✕

자른 종이를 펼쳤을 때의 모양을 살펴봐야 해요.

1-2
6 cm
3 cm
⇨ ○

1-3
60°
30°
⇨ ✕

1-4
35°
⇨ ✕

1-5
55°
30°
60°
⇨ ○

3주
4일

4일 이등변삼각형, 정삼각형

도형 집중 연습

보기와 같은 이등변삼각형과 정삼각형으로 만든 도형입니다. 파란색 선의 길이의 합은 몇 cm인지 구하세요.

1-1
32 cm

1-2
18 cm

1-3
26 cm

1-4
32 cm

1-5
38 cm

한 변의 길이가 5 cm인 정삼각형을 규칙에 따라 이어 붙인 것입니다. 여섯째 모양에서 둘레는 몇 cm인지 구하세요.

첫째 ⇨ 둘째 ⇨ 셋째 ⇨ …… ⇨ 여섯째

둘레는 파란색 선과 같이 테두리를 한 바퀴 돈 길이의 합과 같습니다.
여섯째 모양에서 둘레는 정삼각형의 한 변의 8배와 같습니다.
⇨ 5×8=40 (cm)

2-1
첫째 ⇨ 둘째 ⇨ 셋째 ……
90 cm

2-2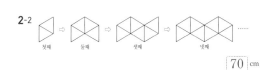
첫째 ⇨ 둘째 ⇨ 셋째 ⇨ 넷째 ……
70 cm

2-3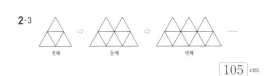
첫째 ⇨ 둘째 ⇨ 셋째 ……
105 cm

풀이

1-2
2 cm의 3배, 4 cm의 3배와 같습니다.
⇨ 2×3+4×3=18 (cm)

1-3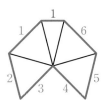
2 cm의 1배, 4 cm의 6배와 같습니다.
⇨ 2×1+4×6=26 (cm)

1-4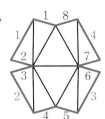
2 cm의 8배, 4 cm의 4배와 같습니다.
⇨ 2×8+4×4=32 (cm)

1-5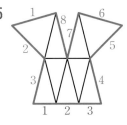
2 cm의 3배, 4 cm의 8배와 같습니다.
⇨ 2×3+4×8
 =38 (cm)

2-1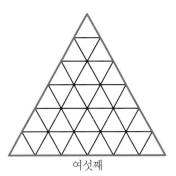
여섯째
여섯째 모양에서 둘레는 정삼각형의 한 변의 18배와 같습니다. ⇨ 5×18=90 (cm)

2-2
여섯째
여섯째 모양에서 둘레는 정삼각형의 한 변의 14배와 같습니다. ⇨ 5×14=70 (cm)

2-3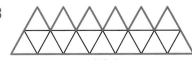
여섯째
여섯째 모양에서 둘레는 정삼각형의 한 변의 21배와 같습니다. ⇨ 5×21=105 (cm)

5일 삼각형 그리기

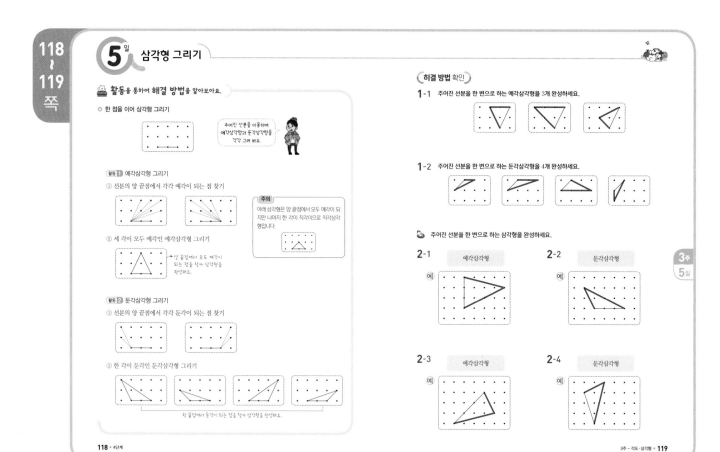

5일 삼각형 그리기

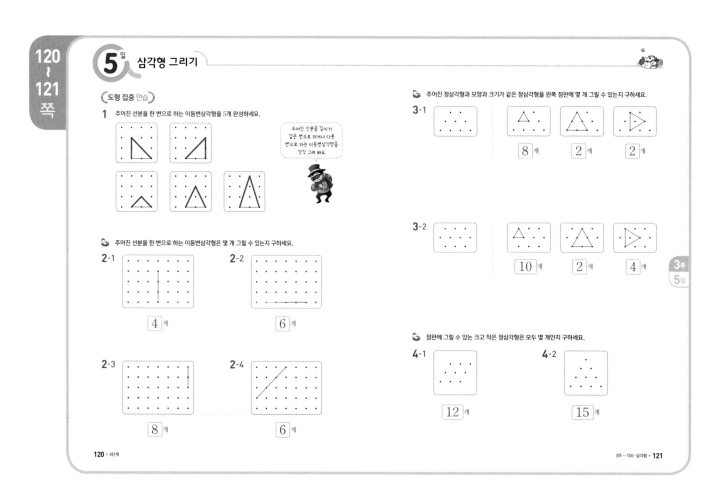

풀이

2-1

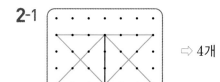

⇨ 4개

2-2

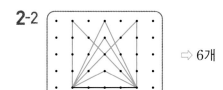

⇨ 6개

2-3

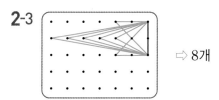

⇨ 8개

2-4

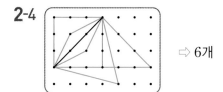

⇨ 6개

4-1

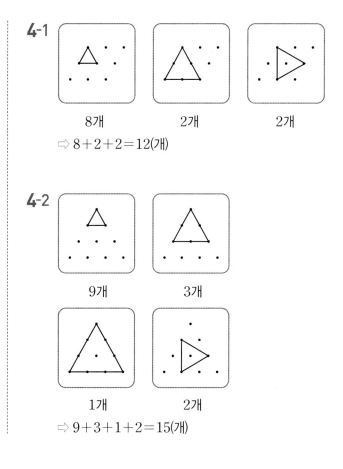

8개   2개   2개

⇨ 8＋2＋2＝12(개)

4-2

9개   3개

1개   2개

⇨ 9＋3＋1＋2＝15(개)

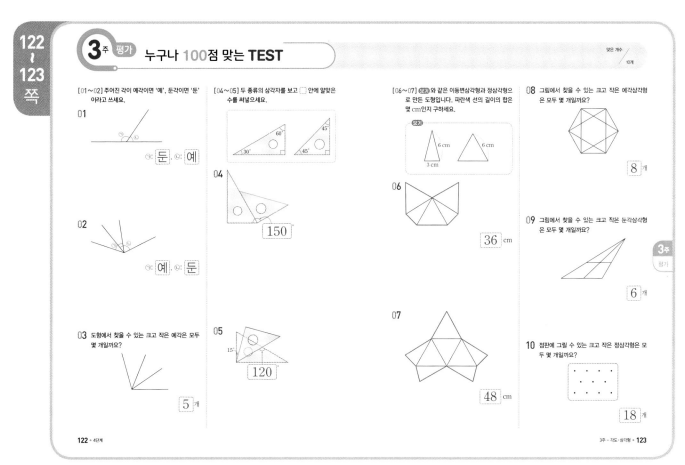

122 ~ 123 쪽

3주 평가 누구나 100점 맞는 TEST

맞은 개수 /10개

[01~02] 주어진 각이 예각이면 '예', 둔각이면 '둔'이라고 쓰세요.

01

⑤: 둔, ⑥: 예

02

⑤: 예, ⑥: 둔

03 도형에서 찾을 수 있는 크고 작은 예각은 모두 몇 개일까요?

5 개

[04~05] 두 종류의 삼각자를 보고 ☐ 안에 알맞은 수를 써넣으세요.

04

150

05

120

[06~07] 보기 와 같은 이등변삼각형과 정삼각형으로 만든 도형입니다. 파란색 선의 길이의 합은 몇 cm인지 구하세요.

보기
6 cm   6 cm   3 cm

06

36 cm

07

48 cm

08 그림에서 찾을 수 있는 크고 작은 예각삼각형은 모두 몇 개일까요?

8 개

09 그림에서 찾을 수 있는 크고 작은 둔각삼각형은 모두 몇 개일까요?

6 개

10 점판에 그릴 수 있는 크고 작은 정삼각형은 모두 몇 개일까요?

18 개

특강 창의·융합·코딩

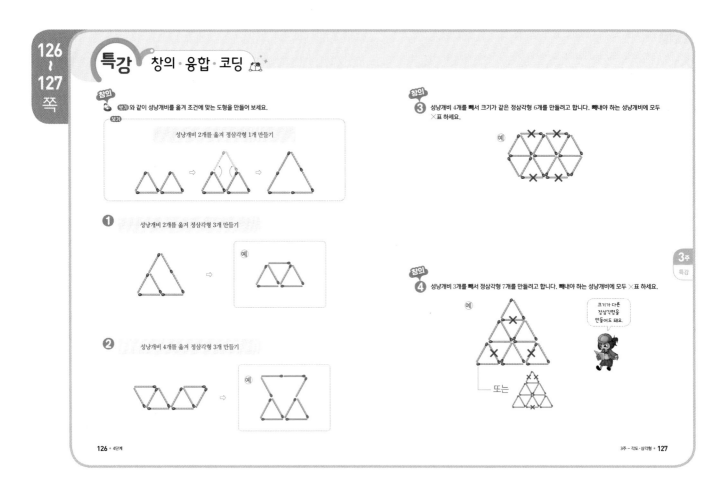

창의 보기 와 같이 성냥개비를 옮겨 조건에 맞는 도형을 만들어 보세요.

보기

성냥개비 2개를 옮겨 정삼각형 1개 만들기

❶ 성냥개비 2개를 옮겨 정삼각형 3개 만들기

예

❷ 성냥개비 4개를 옮겨 정삼각형 3개 만들기

예

창의 ❸ 성냥개비 4개를 빼서 크기가 같은 정삼각형 6개를 만들려고 합니다. 빼내야 하는 성냥개비에 모두 ×표 하세요.

예

창의 ❹ 성냥개비 3개를 빼서 정삼각형 7개를 만들려고 합니다. 빼내야 하는 성냥개비에 모두 ×표 하세요.

예

크기가 다른 정삼각형을 만들어도 돼요

또는

3주
특강

특강 창의·융합·코딩

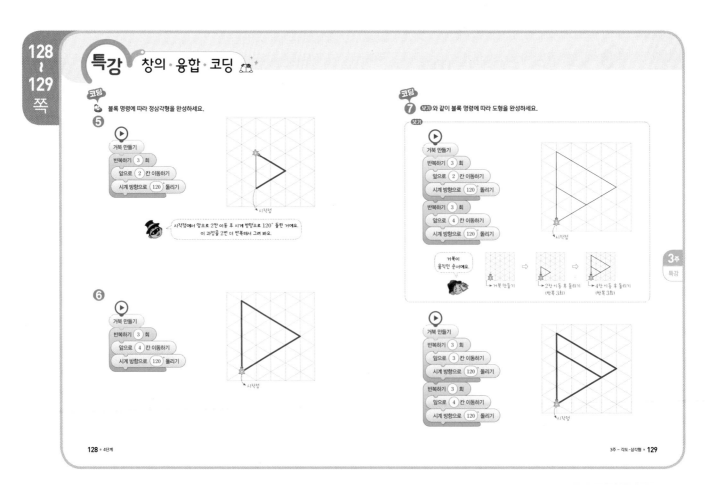

코딩 블록 명령에 따라 정삼각형을 완성하세요.

❺
▶
거북 만들기
반복하기 3 회
앞으로 2 칸 이동하기
시계 방향으로 120° 돌리기

시작점에서 앞으로 2칸 이동 후 시계 방향으로 120° 돌린 거예요. 이 과정을 2번 더 반복해서 그려 봐요.

시작점

❻
▶
거북 만들기
반복하기 3 회
앞으로 4 칸 이동하기
시계 방향으로 120° 돌리기

시작점

코딩 ❼ 보기 와 같이 블록 명령에 따라 도형을 완성하세요.

보기
▶
거북 만들기
반복하기 3 회
앞으로 2 칸 이동하기
시계 방향으로 120° 돌리기
반복하기 3 회
앞으로 4 칸 이동하기
시계 방향으로 120° 돌리기

거북이 움직인 순서예요.

→ 거북 만들기 ⇒ 2칸 이동 후 돌리기 (반복 3회) ⇒ 4칸 이동 후 돌리기 (반복 3회)

시작점

▶
거북 만들기
반복하기 3 회
앞으로 3 칸 이동하기
시계 방향으로 120° 돌리기
반복하기 3 회
앞으로 4 칸 이동하기
시계 방향으로 120° 돌리기

시작점

3주
특강

4주 | 사각형, 다각형

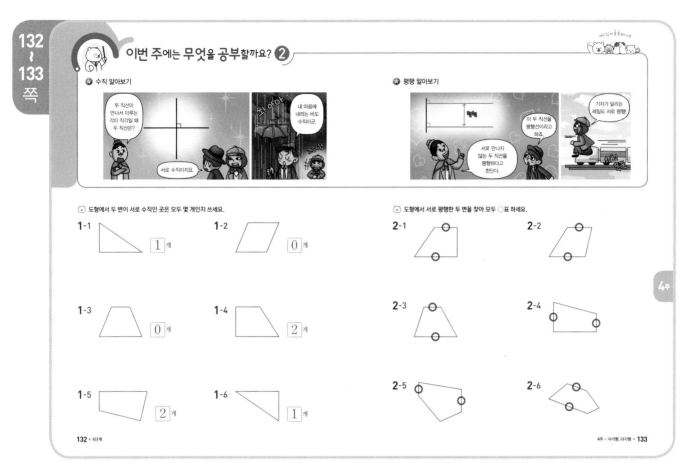

1일 평행선에서 각도 구하기

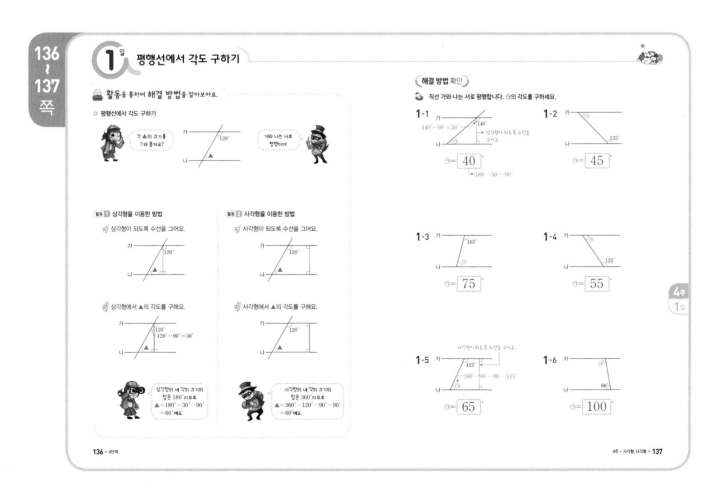

1^일 평행선에서 각도 구하기

(도형 집중 연습)

🔹 직선 가와 나는 서로 평행합니다. ㉠의 각도를 구하세요.

1-1

 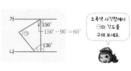

초록색 사각형에서 ㉠의 각도를 구해 보세요.

$150° - 90° = 60°$

㉠ = $\boxed{80}$

1-2

㉠ = $\boxed{70}$

1-3

㉠ = $\boxed{85}$

1-4

㉠ = $\boxed{75}$

1-5

㉠ = $\boxed{85}$

🔹 직선 가와 나는 서로 평행합니다. ㉠의 각도를 구하세요.

2-1

㉡ $= 180° - 90° - 65° = \boxed{25}$

㉠ $= 90° - ㉡ = \boxed{65}$

㉢ $= 180° - 85° - ㉡ = \boxed{30}$

㉡, ㉠, ㉢의 순서에 따라 ㉠의 각도를 구해 보세요.

2-2

㉠ = $\boxed{40}$°

2-3

㉠ = $\boxed{60}$°

2-4

㉠ = $\boxed{35}$°

2-5

㉠ = $\boxed{40}$°

풀이

1-2

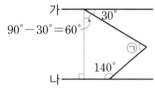

$90° - 30° = 60°$

㉠ $= 360° - 60° - 90° - 140° = 70°$

1-3

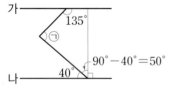

$90° - 40° = 50°$

㉠ $= 360° - 135° - 50° - 90° = 85°$

1-5

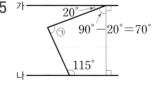

$90° - 20° = 70°$

㉠ $= 360° - 70° - 115° - 90° = 85°$

2-2

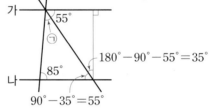

$180° - 90° - 55° = 35°$

$90° - 35° = 55°$

㉠ $= 180° - 85° - 55° = 40°$

2-3

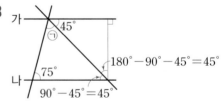

$180° - 90° - 45° = 45°$

$90° - 45° = 45°$

㉠ $= 180° - 75° - 45° = 60°$

2-4

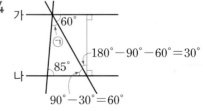

$180° - 90° - 60° = 30°$

$90° - 30° = 60°$

㉠ $= 180° - 85° - 60° = 35°$

142~143쪽

2일 크고 작은 사각형의 개수

활동을 통하여 **해결 방법**을 알아보아요.

○ 크고 작은 사다리꼴 찾아보기

평행한 변이 있는 사각형을 모두 찾아봐요.

🐛 1칸짜리 사다리꼴 찾아보기

⇨ 3개

🐛 2칸짜리 사다리꼴 찾아보기

⇨ 3개

↳직사각형은 사다리꼴이라고 할 수 있습니다.

🐛 3칸짜리 사다리꼴 찾아보기

3칸짜리 사다리꼴은 찾을 수 없습니다. ⇨ 0개

🐛 4칸짜리 사다리꼴 찾아보기

⇨ 1개

⇨ 주어진 도형에서 찾을 수 있는 크고 작은 사다리꼴은 모두 3+3+1=7(개)입니다.

해결 방법 확인

1-1 그림에서 찾을 수 있는 크고 작은 사다리꼴은 모두 몇 개인지 구하세요.

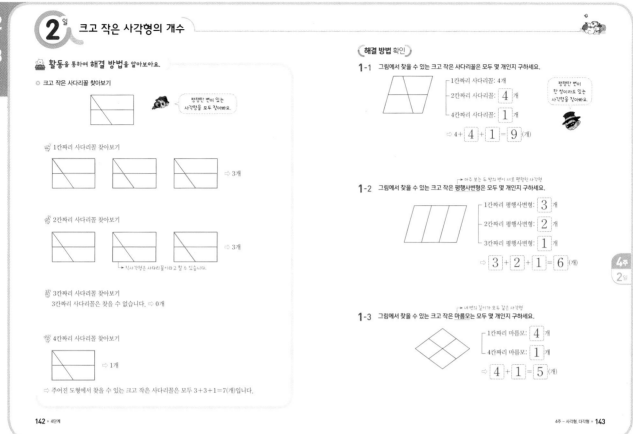

┌ 1칸짜리 사다리꼴: 4개
├ 2칸짜리 사다리꼴: [4]개
└ 4칸짜리 사다리꼴: [1]개

⇨ 4+[4]+[1]=[9](개)

평행한 변이 한 쌍이라도 있는 사각형을 찾아봐요.

1-2 그림에서 찾을 수 있는 크고 작은 평행사변형은 모두 몇 개인지 구하세요.

↳마주 보는 한 쌍의 변이 서로 평행한 사각형

┌ 1칸짜리 평행사변형: [3]개
├ 2칸짜리 평행사변형: [2]개
└ 3칸짜리 평행사변형: [1]개

⇨ [3]+[2]+[1]=[6](개)

1-3 그림에서 찾을 수 있는 크고 작은 마름모는 모두 몇 개인지 구하세요.

↳네 변의 길이가 모두 같은 사각형

┌ 1칸짜리 마름모: [4]개
└ 4칸짜리 마름모: [1]개

⇨ [4]+[1]=[5](개)

142 • 4단계

4주 – 사각형, 다각형 • 143

144~145쪽

2일 크고 작은 사각형의 개수

도형 집중 연습

🐾 그림에서 찾을 수 있는 크고 작은 사다리꼴은 모두 몇 개인지 구하세요.

1-1 [6]개

1-2 [10]개

1-3 [7]개

1-4 [12]개

🐾 그림에서 찾을 수 있는 크고 작은 평행사변형은 모두 몇 개인지 구하세요.

2-1 [10]개

2-2 [18]개

🐾 정삼각형을 이용하여 만든 도형입니다. 색칠된 정삼각형을 포함하는 마름모는 모두 몇 개 찾을 수 있는지 구하세요.

3-1 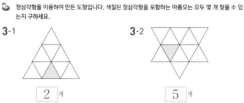 [2]개

3-2 [5]개

🐾 정삼각형을 이용하여 만든 도형에서 찾을 수 있는 크고 작은 마름모는 모두 몇 개인지 구하세요.

4-1 [8]개

4-2 [9]개

4-3 [12]개

4-4 [15]개

144 • 4단계

4주 – 사각형, 다각형 • 145

3일 접은 모양에서 각도 구하기

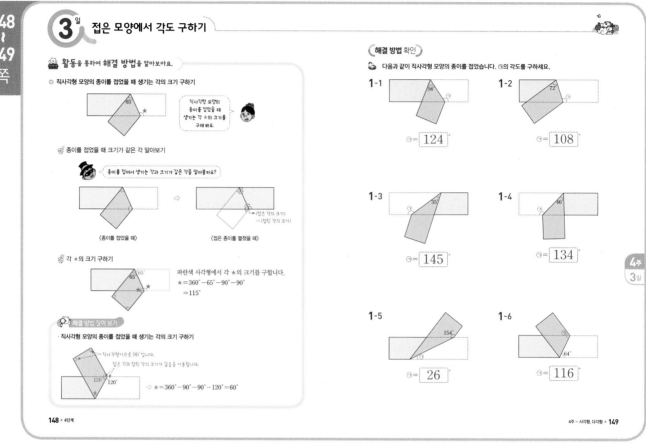

활동을 통하여 해결 방법을 알아보아요

○ 직사각형 모양의 종이를 접었을 때 생기는 각의 크기 구하기

직사각형 모양의 종이를 접었을 때 생기는 각 ★의 크기를 구해 봐요.

종이를 접었을 때 크기가 같은 각 알아보기

종이를 접어서 생기는 각과 크기가 같은 각을 알아볼까요?

〈종이를 접었을 때〉   〈접은 종이를 펼쳤을 때〉

→ (접은 각의 크기)
= (접힌 각의 크기)

각 ★의 크기 구하기

파란색 사각형에서 각 ★의 크기를 구합니다.
★ = 360° − 65° − 90° − 90°
= 115°

해결 방법 찾아 보기

· 직사각형 모양의 종이를 접었을 때 생기는 각의 크기 구하기

직사각형이므로 90°입니다.
접은 각과 접힌 각의 크기가 같음을 이용합니다.

⇨ ★ = 360° − 90° − 90° − 120° = 60°

해결 방법 확인

다음과 같이 직사각형 모양의 종이를 접었습니다. ㉠의 각도를 구하세요.

1-1
㉠ = [124]°

1-2
㉠ = [108]°

1-3
㉠ = [145]°

1-4
㉠ = [134]°

1-5
㉠ = [26]°

1-6
㉠ = [116]°

3일 접은 모양에서 각도 구하기

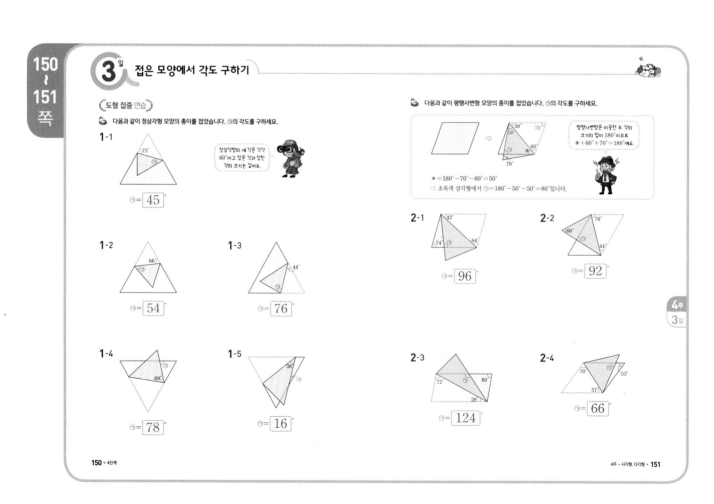

도형 집중 연습

다음과 같이 정삼각형 모양의 종이를 접었습니다. ㉠의 각도를 구하세요.

1-1
정삼각형의 세 각은 각각 60°이고 접은 각과 접힌 각의 크기는 같아요.
㉠ = [45]°

1-2
㉠ = [54]°

1-3
㉠ = [76]°

1-4
㉠ = [78]°

1-5
㉠ = [16]°

다음과 같이 평행사변형 모양의 종이를 접었습니다. ㉠의 각도를 구하세요.

평행사변형은 이웃한 두 각의 크기의 합이 180°이므로
◆ + 60° + 70° = 180°예요.

◆ = 180° − 70° − 60° = 50°
⇨ 초록색 삼각형에서 ㉠ = 180° − 50° − 50° = 80°입니다.

2-1
㉠ = [96]°

2-2
㉠ = [92]°

2-3
㉠ = [124]°

2-4
㉠ = [66]°

154~155쪽

4일 정다각형을 이어 붙인 모양

활동을 통하여 해결 방법을 알아보아요.

◦ 만든 모양에서 빨간색 선의 길이 구하기

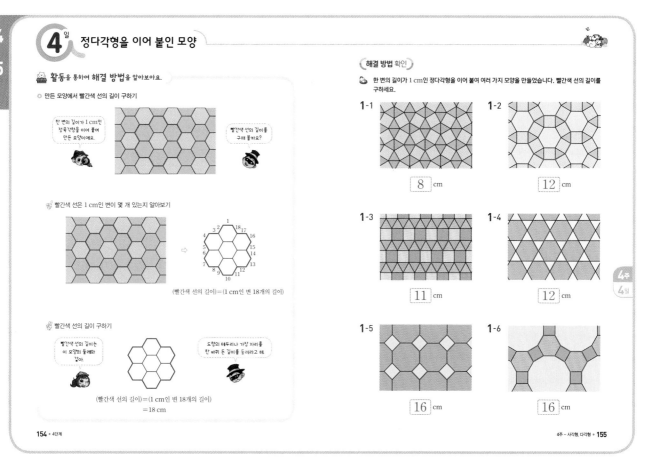

해결 방법 확인

한 변의 길이가 1 cm인 정다각형을 이어 붙여 여러 가지 모양을 만들었습니다. 빨간색 선의 길이를 구하세요.

1-1 [8] cm

1-2 [12] cm

1-3 [11] cm

1-4 [12] cm

1-5 [16] cm

1-6 [16] cm

156~157쪽

4일 정다각형을 이어 붙인 모양

도형 집중 연습

다음은 한 변의 길이가 2 cm인 정다각형을 규칙에 따라 겹치지 않게 이어 붙인 것입니다. 정다각형을 10개 이어 붙인 도형의 둘레를 구하세요.

1-1 [44] cm

1-2 [24] cm

1-3 [64] cm

1-4 [124] cm

1-5 [84] cm

1-6 [164] cm

다음은 한 변의 길이가 3 cm인 정다각형 2가지를 규칙에 따라 겹치지 않게 이어 붙인 것입니다. **보기**와 같이 정다각형을 각각 8개씩 이어 붙여 만든 도형의 둘레를 구하세요.

보기

정삼각형 8개, 정사각형 8개를 이어 붙여 완성한 도형이에요.

3 cm인 변이 26개이므로 3×26=78 (cm)

2-1 [126] cm

2-2 [156] cm

2-3 [150] cm

5일 정다각형에서 각도 구하기

🐸 **활동**을 통하여 **해결 방법**을 알아보아요.

◎ 정오각형의 한 각의 크기 구하기

> 정다각형은 변의 길이가
> 모두 같고 각의 크기도
> 모두 같아요.

> 정오각형에서 5개의 각의 크기는
> 모두 같음을 알고 정오각형의 한 각의
> 크기를 구해봐요.

활동 1 삼각형을 이용한 방법

🖐 정오각형을 삼각형 3개로 나눕니다.
→ 삼각형 3개

🖐 (정오각형의 모든 각의 크기의 합)
=$180° \times 3 = 540°$
→ 삼각형의 세 각의 크기의 합

🖐 정오각형의 한 각의 크기 구하기
108°

(정오각형의 한 각의 크기)
=$540° \div 5 = 108°$
→ 정오각형의 모든 각의 크기의 합

활동 2 삼각형과 사각형을 이용한 방법

🖐 정오각형을 삼각형 1개와 사각형 1개로 나눕니다.
삼각형 1개 / 사각형 1개

🖐 (정오각형의 모든 각의 크기의 합)
=$180° + 360° = 540°$
→ 사각형의 네 각의 크기의 합
→ 삼각형의 세 각의 크기의 합

🖐 정오각형의 한 각의 크기 구하기
108°

(정오각형의 한 각의 크기)
=$540° \div 5 = 108°$

해결 방법 확인

🐸 다음은 정다각형입니다. ㉠의 각도를 구하세요.

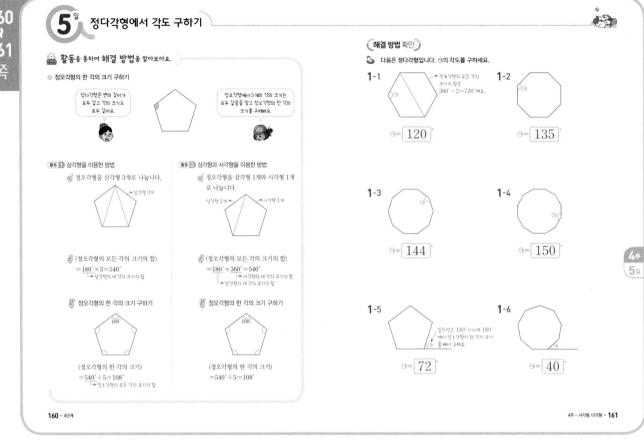

1-1
> 정육각형의 모든 각의 크기의 합은
> $360° \times 2 = 720°$예요.

㉠=$\boxed{120}$°

1-2

㉠=$\boxed{135}$°

1-3

㉠=$\boxed{144}$°

1-4

㉠=$\boxed{150}$°

1-5
> 직선은 180°이니까 180°
> 에서 정오각형의 한 각의 크기
> 를 빼서 구해요.

㉠=$\boxed{72}$°

1-6

㉠=$\boxed{40}$°

5일 정다각형에서 각도 구하기

도형 집중 연습

🐸 정다각형을 겹치지 않게 이어 붙인 것입니다. ㉠의 각도를 구하세요.

1-1
> 360°에서 정오각형의
> 한 각의 크기와 정육각형의
> 한 각의 크기를 빼어 봐요.

㉠=$\boxed{132}$°

1-2

㉠=$\boxed{105}$°

1-3

㉠=$\boxed{150}$°

1-4

㉠=$\boxed{120}$°

1-5

㉠=$\boxed{96}$°

🐸 다음은 정다각형에 대각선을 그은 것입니다. ㉠의 각도를 구하세요.

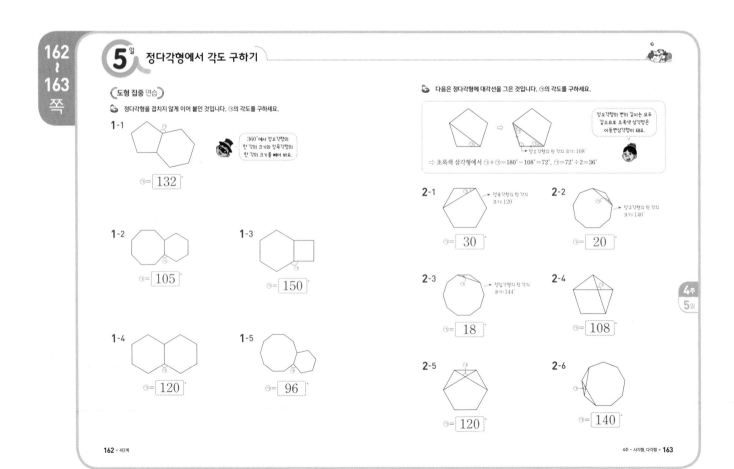

> 정오각형의 변의 길이는 모두
> 같으므로 초록색 삼각형은
> 이등변삼각형이 돼요.

⇨ 초록색 삼각형에서 ㉠+㉠=$180°-108°=72°$, ㉠=$72° \div 2 = 36°$

2-1
> 정육각형의 한 각의 크기:120°

㉠=$\boxed{30}$°

2-2
> 정구각형의 한 각의 크기:140°

㉠=$\boxed{20}$°

2-3
> 정십각형의 한 각의 크기:144°

㉠=$\boxed{18}$°

2-4

㉠=$\boxed{108}$°

2-5

㉠=$\boxed{120}$°

2-6

㉠=$\boxed{140}$°

4주 평가 누구나 100점 맞는 TEST

맞은 개수
/10개

01 직선 가와 나는 서로 평행합니다. ⊙의 각도를 구하세요.

⊙= 75 °

02 직선 가와 나는 서로 평행합니다. ⊙의 각도를 구하세요.

⊙= 100 °

03 그림에서 찾을 수 있는 크고 작은 사다리꼴은 모두 몇 개인지 구하세요.

10 개

04 정삼각형을 이용하여 만든 도형입니다. 색칠한 삼각형을 포함하는 마름모는 모두 몇 개인지 구하세요.

4 개

05 다음과 같이 직사각형 모양의 종이를 접었습니다. ⊙의 각도를 구하세요.

⊙= 133 °

06 다음과 같이 정삼각형 모양의 종이를 접었습니다. ⊙의 각도를 구하세요.

⊙= 66 °

07 한 변의 길이가 2 cm인 정다각형을 이어 붙여 만든 모양입니다. 빨간색 선의 길이를 구하세요.

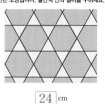

24 cm

08 다음은 한 변의 길이가 3 cm인 정다각형을 규칙에 따라 겹치지 않게 이어 붙인 것입니다. 정다각형을 10개 이어 붙인 도형의 둘레를 구하세요.

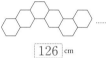

126 cm

09 정다각형을 겹치지 않게 이어 붙인 것입니다. ⊙의 각도를 구하세요.

⊙= 144 °

10 정다각형에 대각선을 그은 것입니다. ⊙의 각도를 구하세요.

⊙= 72 °

풀이

01

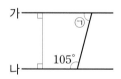

⊙=360°−90°−90°−105°=75°

03

⇨ 10개

04

⇨ 4개

05 ⊙=360°−90°−90°−47°=133°

06

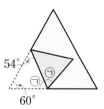

⊙=180°−54°−60°=66°

07

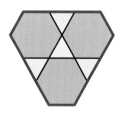

(빨간색 선의 길이)=(2 cm인 변 12개의 길이)
　　　　　　　　=24 cm

09

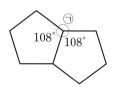

⊙=360°−108°−108°=144°

특강 창의·융합·코딩

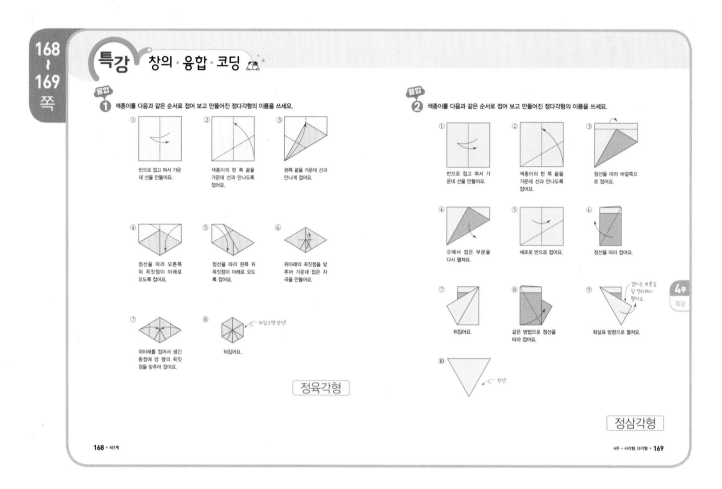

특강 창의·융합·코딩

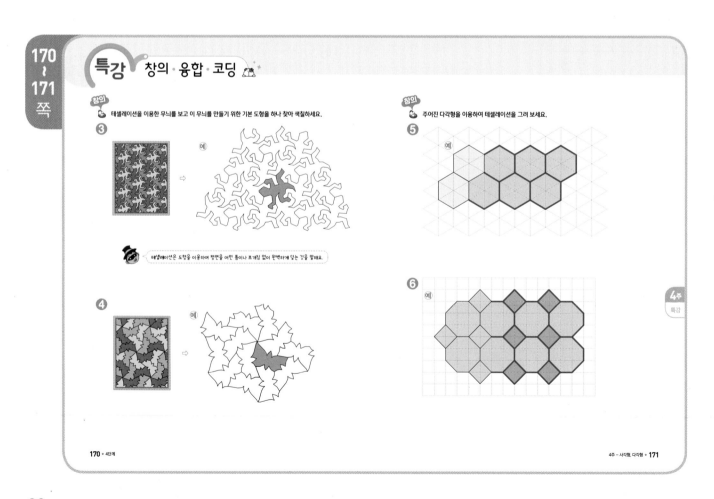

기초 학습능력 강화 교재

연산이 즐거워지는 공부습관

똑똑한 하루
빅터연산

기초부터 튼튼하게

수학의 기초는 연산!
빅터가 쉽고 재미있게 알려주는 연산 원리와
집중 연산을 통해 연산 해결 능력 강화

게임보다 재미있다

지루하고 힘든 연산은 NO!
수수께끼, 연상퀴즈, 실생활 문제로
쉽고 재미있는 연산 YES!

더! 풍부한 학습량

수·연산 문제를 충분히 담은 풍부한 학습량
교재 표지의 QR을 통해 모바일 학습 제공
교과와 연계되어 학기용 교재로도 OK

초등 연산의 빅데이터!
기초 탄탄 연산서
예비초~초2(각 A~D)
초3~6(각 A~B)

정답은
이안에
있어！

기초 학습능력 강화 프로그램
매일 조금씩 공부력 UP!

하루 독해   하루 어휘   하루 VOCA

하루 수학   하루 계산   하루 도형

과목	교재 구성	과목	교재 구성
하루 수학	1~6학년 1·2학기 12권	하루 사고력	1~6학년 A·B단계 12권
하루 VOCA	3~6학년 A·B단계 8권	하루 글쓰기	1~6학년 A·B단계 12권
하루 사회	3~6학년 1·2학기 8권	하루 한자	1~6학년 A·B단계 12권
하루 과학	3~6학년 1·2학기 8권	하루 어휘	예비초~6학년 1~6단계 6권
하루 도형	1~6단계 6권	하루 독해	예비초~6학년 A·B단계 12권
하루 계산	1~6학년 A·B단계 12권		

※ 각 교재별 출간 시기는 조금씩 다릅니다.

나는 그 누구보다도 실수를 많이 한다.
그리고 그 실수들 대부분에서
특허를 받아낸다.

I make more mistakes than anybody
and get a patent from those mistakes.

토마스 에디슨

실수는 '이제 난 안돼, 끝났어'라는 의미가 아니에요.
성공에 한 발자국 가까이 다가갔으니, 더 도전해보면 성공할 수 있다는
메시지랍니다. 그러니 실수를 두려워하지 마세요.